MINECRAFT

1. Auflage 2024

Copyright der deutschsprachigen Ausgabe:
© Schneiderbuch in der Verlagsgruppe HarperCollins Deutschland GmbH, Hamburg
Alle Rechte für die deutschsprachige Ausgabe vorbehalten
Die englische Originalausgabe erschien 2023 unter dem Titel
„MINECRAFT Mobspotter's Encyclopedia. The Ultimate Guide to the Mobs of Minecraft"
bei Farshore. An imprint of HarperCollins*Publishers*
1 London Bridge Street, London SE1 9GF

Text: Tom Stone
Additional Illustrations by George Lee
Special thanks to Sherin Kwan, Alex Wiltshire, Jay Castello,
Kelsey Ranallo and Milo Bengtsson

This book is an original creation by Farshore

Übersetzung aus dem Englischen: Maxi Lange
Umschlag und Satz: Achim Münster, Overath
In Anlehnung an das englische Original

ISBN 978-3-505-15202-3
Printed in Malaysia

FSC
www.fsc.org
MIX
Papier | Fördert
gute Waldnutzung
FSC® C007207

www.schneiderbuch.de
Facebook: facebook.de/schneiderbuch
Instagram: @schneiderbuchverlag

ONLINE-SICHERHEIT FÜR JÜNGERE FANS

Online spielen macht Spaß! Um die Minecraft-Welt auch im Internet unbeschwert genießen
zu können, solltest du ein paar Regeln beachten:

- Gib niemals deinen richtigen Namen an. Verwende ihn nicht als Benutzernamen.
- Mache niemals Angaben zu deiner Person.
- Erzähle niemandem, welche Schule du besuchst oder wie alt du bist.
- Vertraue niemandem dein Passwort an, außer deinen Eltern oder Erziehungsberechtigten.
- Für viele Webseiten musst du mindestens 13 Jahre alt sein, wenn du dort ein Benutzerkonto
einrichten willst. Bitte deine Eltern oder Erziehungsberechtigten um Erlaubnis, bevor du dich
registrierst.
- Wenn dich irgendetwas verunsichert, sprich mit deinen Eltern oder Erziehungsberechtigten
darüber.

Jede der in diesem Buch aufgeführten Webadressen war zur Drucklegung aktuell. Dennoch kann
HarperCollins keine Verantwortung für den angebotenen Inhalt Dritter übernehmen. Bitte nehmen Sie zur Kenntnis, dass sich im Internet angebotene Inhalte ändern und nicht für Kinder ge-
eignete Inhalte auf Webseiten auftauchen können. Wir empfehlen, Kinder zu beaufsichtigen,
wenn diese das Internet benutzen.

MINECRAFT

LEXIKON DER MOBS

DER ULTIMATIVE LEITFADEN ZU ALLEN
KREATUREN UND MONSTERN

INHALT

DAS ABENTEUER BEGINNT!

Willkommen in Minecraft, einer Welt, in der Erkundung und Entdeckergeist mit den spektakulärsten Ausblicken und wundervollsten Kreaturen belohnt wird, die du dir vorstellen kannst. Viele davon sind neutral, manche passiv und einige aggressiv – du solltest also gut vorbereitet sein. Besonders wenn du gefährliche Dimensionen wie den Nether und das Ende besuchen willst. Fangen wir also gleich an! Hier kommen die Leute, die dich auf deinem wilden Abenteuer begleiten werden!

DIE FORSCHENDEN

A. BENNIE THEUER

Niemand hat mehr Zeit auf Ebenen verbracht als Bennie ... und niemand weiß mehr über gängige Mobs! Deshalb ist sie die beste Beraterin, wenn es um all jene Kreaturen geht, auf die du während deiner Anfänge in der Oberwelt stoßen wirst.

DWIGHT WANDERER

Dieser berühmte Abenteurer wünscht sich nichts sehnlicher, als jeden Winkel der gesamten Oberwelt zu erkunden. Er verweilt nie lange genug am selben Ort, um von seinen zahlreichen Reisen zu berichten, weshalb wir uns besonders freuen, dass er sich die Zeit nimmt, an diesem Buch mitzuwirken.

DR. DORA SIEDELGUT

Nach ihrem Studium der Oberweltwesen widmete sich Dr. Siedelgut der Erforschung von Dörfern. Sie ist überall ein gern gesehener Gast und lässt es sich nie nehmen, ihre Nachbarn kennenzulernen.

HEIDI GIPF

Eine furchtlose Entdeckerin, die in einem abgelegenen Bergdorf aufwuchs. Heidi konnte schon klettern, bevor sie sprechen lernte, und hat die höchsten Gipfel der Oberwelt bezwungen!

RILEY WELLENFLUT

Riley wuchs auf dem Wasser auf und wollte schon immer in die Tiefen abtauchen. Rileys Motto: Ein Tag an Land ist ein vergeudeter Tag! Dieser Wasserratte begegnet man so gut wie nie an Land.

AMELIA NETHERHEART

Brillant, mutig und eigenartig sind die drei Worte, die am meisten benutzt werden, um Amelia zu beschreiben. Ihr Überlebenstalent im Nether wurde nie zuvor dokumentiert ... bis jetzt.

PROFESSOR ED PORTALE

„Der Professor", wie er am liebsten genannt wird, ist ein Dimensionsforscher wie kein anderer. Während seiner oft monatelangen Exkursionen stellt er immer wieder seine Überlebenskünste unter Beweis. Nun teilt er erstmals seine Erfahrungen im Ende.

NEULINGE

Hi, mein Name ist A. Bennie Theuer und ich freue mich, dir alles über die Mobs zu erzählen, denen du zu Beginn deines Oberwelt-Abenteuers begegnen wirst! Zugegeben, ich habe keine „abgeschlossene Überlebensausbildung" und „weiß nicht immer, wovon ich rede" ... Aber vertrau mir, ich bin eine TOLLE Reiseführerin! Ich habe ALLE passiven Mobs umarmt, den neutralen respektvoll zugenickt und wurde von den aggressiven besiegt! Alles im Dienst der Wissenschaft natürlich! Du kannst einen Creeper nicht von einem Schaf unterscheiden? Ging mir genauso, aber nach unzähligen schmerzhaften Umarmungen habe ich es gelernt und gebe mein Wissen gern an dich weiter. Auf geht's!

HUHN

Auf den ersten Blick kommt einem das Huhn wie ein eher glückloser Mob vor. Viele Räuber haben es auf das Federvieh abgesehen, und da es nicht fliegen kann, kommen dir seine Flügel wahrscheinlich so nützlich vor wie ein Fallschirm aus Beton. Aber die Schwingen sind nicht völlig nutzlos – sie schützen nämlich vor Fallschaden! Was echt sinnvoll ist, denn Abenteurer machen zu gern Jagd auf Hühner.

Nimm die FIESE Schlussbemerkung eben bitte nicht allzu ernst – Hühner sind nämlich viel zu süß, um sie zu jagen! Okay, man kann sie essen, aber ich als Vegetarierin betrachte sie eher als gackernde Gefährtinnen. Ich verstehe schon, warum sie auf Farmen so beliebt sind, denn diese weißen Zuckerschnäbel können nur einen Block hoch springen und damit keine Zäune überqueren – im Gegensatz zu Kaninchen! Die Küken sind übrigens noch entzückender. Als ich zum ersten Mal eins sah, schwor ich, nie wieder meine Augen zu waschen. Ehrlich!

LEBENSRAUM

Hühner kommen in allen Biomen mit Grasland vor, darunter Ebenen, zerzauste Hügel, Berghaine, Taigas, Wälder, Dschungel und Sümpfe. Wenn du also in einem grünen Biom unterwegs bist und Hunger verspürst, halte die Augen nach einem Huhn offen (sorry, Bennie!). Aber brate das Fleisch, bevor du es isst!

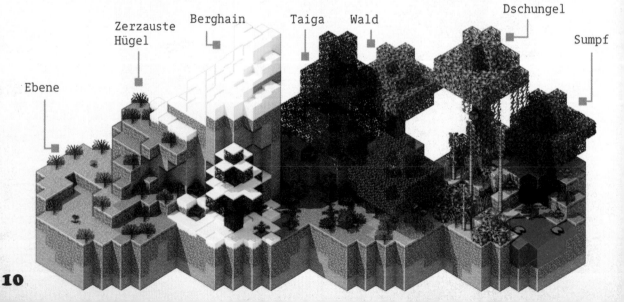

Ebene · Zerzauste Hügel · Berghain · Taiga · Wald · Dschungel · Sumpf

■ *Huhn und Ei – das ewige Rätsel der Oberwelt-Philosophie.*

Mob-Notizen

VERHALTEN: Hühner wandern ziellos umher, aber kommen zu dir, wenn du Samen oder Kerne in der Hand hältst. Sie fliehen vor Ozelots, ungezähmten Katzen und Füchsen.
DROPS: Ausgewachsene Tiere droppen rohes Hühnchen und 1 bis 2 Federn – ein wichtiger Bestandteil der Herstellung von Pfeilen.

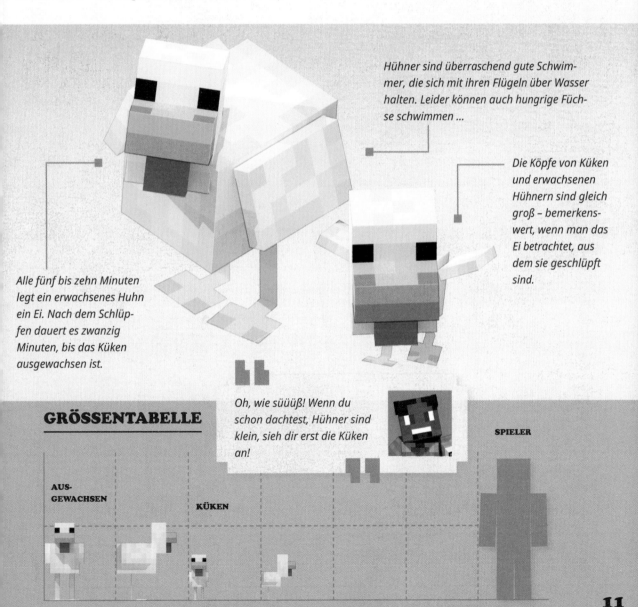

Hühner sind überraschend gute Schwimmer, die sich mit ihren Flügeln über Wasser halten. Leider können auch hungrige Füchse schwimmen ...

Die Köpfe von Küken und erwachsenen Hühnern sind gleich groß – bemerkenswert, wenn man das Ei betrachtet, aus dem sie geschlüpft sind.

Alle fünf bis zehn Minuten legt ein erwachsenes Huhn ein Ei. Nach dem Schlüpfen dauert es zwanzig Minuten, bis das Küken ausgewachsen ist.

Oh, wie süüüß! Wenn du schon dachtest, Hühner sind klein, sieh dir erst die Küken an!

GRÖSSENTABELLE

AUS-GEWACHSEN

KÜKEN

SPIELER

KUH

Diese muhende Milchfabrik ist auf allen aufstrebenden Farmen beliebt. Neben Milch gibt sie Leder und Fleisch, was sie zu einer der besten Ressourcenlieferantinnen der Oberwelt macht. Kühe lieben Weizen und lassen sich gern von Reisenden füttern. Kurz gesagt: Mit diesen Tieren kannst du nichts falsch machen!

Wenn ich gerade nicht erkunde, LIEBE ich es, zu backen. Allerdings brauchst du für einen klassischen Minecraft-Kuchen Milch. (Glaub mir, ich hab's ohne versucht – war NICHT lecker!) Deshalb halte ich in der Nähe meines Hauses ein paar entzückende Kühe. Ich melke sie und füttere sie zum Dank mit Weizen. Wusstest du, dass Kühe nur fressen, wenn du ihnen den Weizen vor die Nase hältst? Das mag anspruchsvoll wirken, aber ich finde es liebenswürdig. Und für leckeren Kuchen lohnt sich der Aufwand allemal.

LEBENSRAUM

Du musst nicht weit reisen, um Kühe zu finden. Sie kommen auf Ebenen, in Dschungeln, Wäldern, Sümpfen, extremen Bergen und sogar Dörfern vor. (Hat ihnen niemand gesagt, dass in manchen Dörfern METZGER wohnen?!) Zudem gehören sie zu den größeren passiven Mobs, sodass du sie leicht schon aus der Ferne sehen kannst.

Ebene

Dschungel

Wald

Sumpf

Berge

■ *Eine Kuh wird gemolken. Dafür brauchst du einen Eimer.*

Kühe muhen nicht nur, sie schnaufen auch in einem fort und klingen damit wie die wohl passiv-aggressivsten Tiere der ganzen Oberwelt.

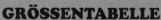

Wenn du in fünf Blöcken Abstand zu einer Kuh Weizen in die Hand nimmst, folgt sie dir. Gut zu wissen, wenn du einmal eine auf deine Farm locken möchtest.

Wenn du eine Kuh melken willst, brauchst du einen Eimer. Ist ja auch logisch. Ohne würde die gute Milch nur den Boden durchnässen, und solche Verschwendung will doch keiner.

GRÖSSENTABELLE

SPIELER

AUS-
GEWACHSEN

KALB

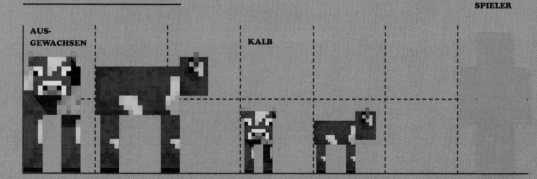

SCHWEIN

Außen süß, innen nahrhaft – Schweine sind bei allen Abenteuersuchenden beliebt, die sich ein süßes Haus- und ein witziges Reittier wünschen ... oder aber hungrig sind. Bei Gewitter sind die rosafarbenen Kreaturen allerdings weniger beliebt, was dir alle bestätigen werden, die einmal dabei waren, wenn eins vom Blitz getroffen wurde ... und überlebt haben.

―――――――――― ■ ――――――――――

> *Was ist rosa, grunzt und hat einen Ringelschwanz? Genau, ich, als ich letztens von einer Kostümparty geflogen bin! Angeblich, weil das ‚laute Angrunzen anderer Gäste nicht höflich ist'. Ich bin als Schwein gegangen, weil diese Mobs meine absoluten Lieblinge sind. Ihr Fleisch ist essbar ... aber findest du es nicht viel lustiger, auf dem Rücken eines Schweins zu reiten? Natürlich findest du das! Du willst sie trotzdem lieber essen? Hmpf! Dann lass mich wenigstens erst absteigen!*

LEBENSRAUM

Schweine lieben Gras, denn sie kommen in fast allen Grasland-Biomen mit Ausnahme von Almen, verschneiten Ebenen und bewaldeten Tafelbergen vor. Sie sind alles andere als selten und dank ihrer Signalfarbe aus der Ferne deutlich erkennbar.

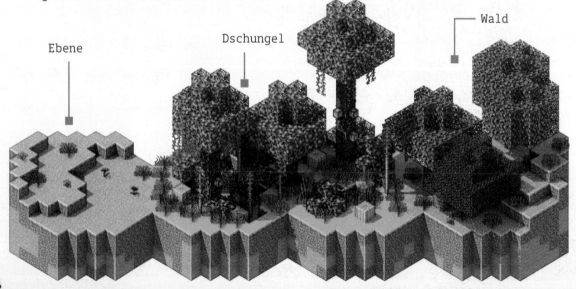

Ebene

Dschungel

Wald

Ein Schwein bei Gewitter? Auf Seite 144 erfährst du, warum diese Kombination gefährlich werden kann.

Mob-Notizen

VERHALTEN: Diese friedfertigen Tiere schlendern gemächlich durch die Oberwelt und rennen nur, wenn sie angegriffen werden.

HAT ANGST VOR: Wahrscheinlich Gewitter, wenn man die möglichen Folgen bedenkt.

DROPS: Schweine lassen immer mindestens ein Stück rohes Fleisch fallen – oder ein gebratenes, wenn sie verbrannt werden.

Schweine lassen sich mit Karotten, Kartoffeln oder roter Bete locken, wenn du dich in einem Radius von sechs Blöcken aufhältst.

Schweine können als Reittiere fungieren, wenn du sie mit einem Sattel ausrüstest und eine Karottenrute zum Lenken benutzt.

Ferkel brauchen nur 20 Minuten bis zum Erwachsenenstadium. So lange willst du nicht warten? Füttere sie, um ihr Wachstum zu beschleunigen!

GRÖSSENTABELLE

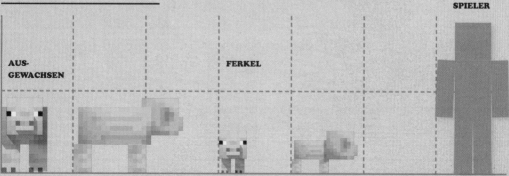

SPIELER

AUS-
GEWACHSEN

FERKEL

SCHAF

Ein häufig vorkommendes Tier, dessen Fell zu den wichtigsten Ressourcen der ganzen Oberwelt zählt. Du brauchst ein bis drei Schafe, um genug Wolle für ein Bett zu gewinnen. (Im Ernst, bau dir eins, sobald du kannst, sonst machst du Bekanntschaft mit dem Wesen auf Seite 54!) Schafe lieben Weizen, sind superleicht zu züchten, und ihr Blöken ist supersüß.

> *Wie könnte ich diese Tiere nicht lieben – sie sehen aus wie wandelnde Wolken! Nur zählen solltest du sie nicht, während du unterwegs bist – ich kann dir nicht sagen, wie oft ich dabei schon eingeschlafen bin, nur um wenig später von Skeletten geweckt zu werden, die mich als Zielscheibe benutzten. Ich habe schon viele geruhsame Nachmittage damit verbracht, Schafe zu scheren, und dabei fast versäumt, mir rechtzeitig ein Bett zu bauen. Übrigens, Schafe droppen bis zu dreimal mehr Wolle, wenn du sie scherst, anstatt sie zu töten – ein guter Grund für ein friedliches Miteinander!*

LEBENSRAUM

Schafe fressen gern Gras und sind daher oft in Grasland-Biomen anzutreffen. Außerdem tauchen sie manchmal in der Nähe von Metzgerhäusern in Dörfern auf ... was für ein langes Leben ein BISSCHEN unklug erscheint.

In den meisten
Grasland-Biomen

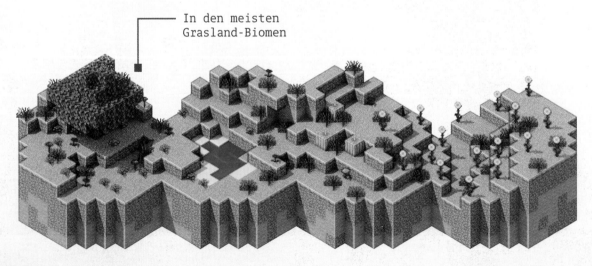

■ *Ein Schaf neben dem Haus eines Metzgers.*
Ähm, viel Glück, Kleines!

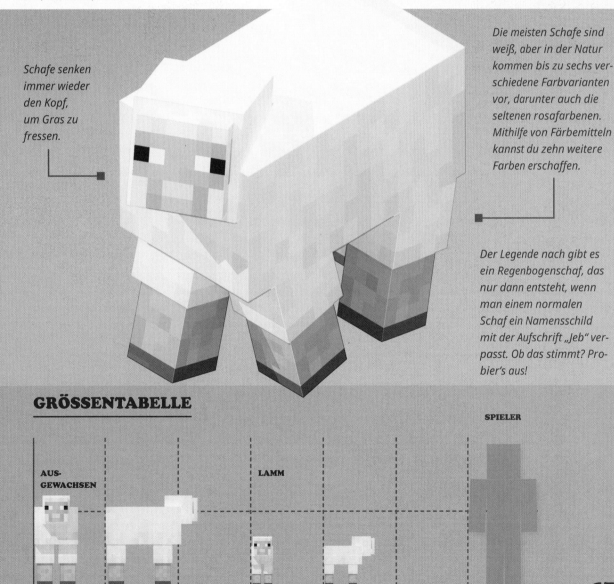

Schafe senken immer wieder den Kopf, um Gras zu fressen.

Die meisten Schafe sind weiß, aber in der Natur kommen bis zu sechs verschiedene Farbvarianten vor, darunter auch die seltenen rosafarbenen. Mithilfe von Färbemitteln kannst du zehn weitere Farben erschaffen.

Der Legende nach gibt es ein Regenbogenschaf, das nur dann entsteht, wenn man einem normalen Schaf ein Namensschild mit der Aufschrift „Jeb" verpasst. Ob das stimmt? Probier's aus!

GRÖSSENTABELLE

SPIELER

AUS-GEWACHSEN

LAMM

PFERD

In einer Oberwelt, in der man Schweine reiten kann, sind Pferde da überhaupt notwendig? O ja! Auf dem Pferderücken kommst du nämlich richtig schnell voran. Außerdem können Pferde viel höher springen als du auf deinem Reitschwein, UND du kannst sie mit einer Rüstung ausstatten. Allerdings sind sie für einen passiven Mob anfangs ziemlich ... ähm, stutenbissig.

Du wirst bestimmt lernen, dein Pferd zu lieben – es braucht nur etwas Zeit, um Vertrauen aufzubauen. Pferde lassen sich nämlich nicht so leicht zähmen. Füttere am besten eins mit irgendeiner Leckerei und steige probehalber auf seinen Rücken – aber mach dich auf einen SEHR kurzen Ritt gefasst ... du wirst nämlich höchstwahrscheinlich abgeworfen. So wie ich am Anfang. Mein Pferd hatte null Interesse an mir, aber heute sind wir die besten Freunde. Es ist ganz zahm und heißt Sir Klippklopp. Auf seinem Rücken dem Sonnenuntergang entgegenzureiten, ist so schön, dass ich ihm gern die vielen Male verzeihe, die ich unsanft im Dreck gelandet bin.

LEBENSRAUM

Pferde gibt es nur im hohen Gras von Ebenen und Savannen. Sie kommen nicht so häufig wie andere passive Mobs vor, aber spawnen hin und wieder auch in Dörfern, deren Bewohner dafür sorgen, dass sie immer Heu zu fressen haben.

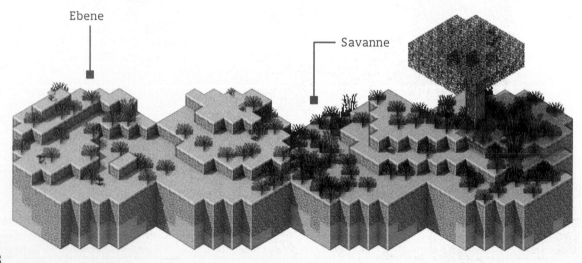

Ebene

Savanne

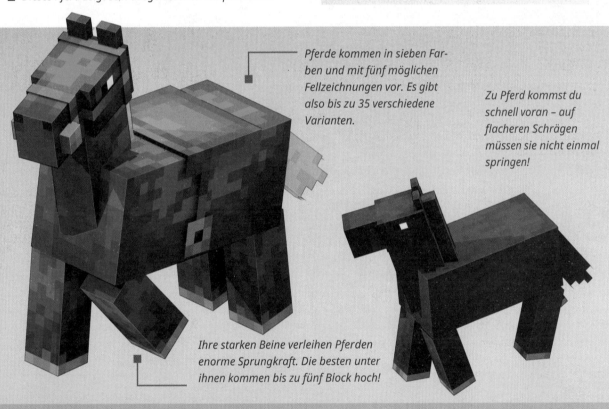

Dieses Pferd zeigt sein ausgelassenes Temperament!

Mob-Notizen

VERHALTEN: Pferde haben unterschiedliche Temperamente, die ihre Zähmung erschweren bzw. erleichtern.
HAT ANGST VOR: Bindung? Wieso sonst dauert es so lange, eins zu zähmen?
DROPS: Stirbt ein Pferd, hinterlässt es manchmal Leder.

Pferde kommen in sieben Farben und mit fünf möglichen Fellzeichnungen vor. Es gibt also bis zu 35 verschiedene Varianten.

Zu Pferd kommst du schnell voran – auf flacheren Schrägen müssen sie nicht einmal springen!

Ihre starken Beine verleihen Pferden enorme Sprungkraft. Die besten unter ihnen kommen bis zu fünf Block hoch!

GRÖSSENTABELLE

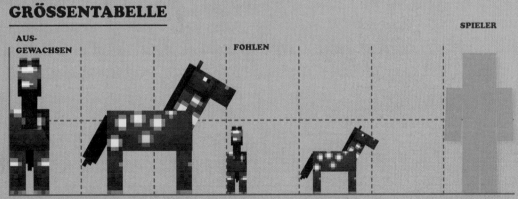

AUS-GEWACHSEN

FOHLEN

SPIELER

WOLF

Süßer pelziger Freund oder rotäugige Bestie? Das hängt ganz davon ab, wie du ihm begegnest. Lässt du Isegrim links liegen, ignoriert er dich auch. Bietest du ihm einen Knochen an, gewinnst du einen Freund fürs Leben. Greifst du ihn jedoch an ... könnte dein letztes Stündlein geschlagen haben.

■

Warum bin ich die ganze Nacht wach geblieben, um gegen Skelette zu kämpfen? Um zu beweisen, dass ich es draufhabe, natürlich! Okay, eigentlich hatte ich nur vergessen, ein Bett zu bauen ... Aber ich habe dabei haufenweise Knochen sammeln können. Die habe ich Wölfen gegeben, bis ich einen gezähmt hatte. Die Chance ist übrigens eins zu drei, also versuch's einfach immer weiter. Jetzt habe ich einen süßen Gefährten, der mir sogar bei meinen nächtlichen Gefechten gegen Skelette beisteht! Was echt gut ist, denn ich habe schon wieder vergessen, mir ein Bett zu bauen ...

LEBENSRAUM

Wölfe kommen in Wäldern, Taigas, Berghainen, Urtaigas und verschneiten Taigas vor. Denk daran, dass Wölfe zunächst nicht zahm sind, also nimm ein paar Knochen mit, wenn du diese Biome erkundest.

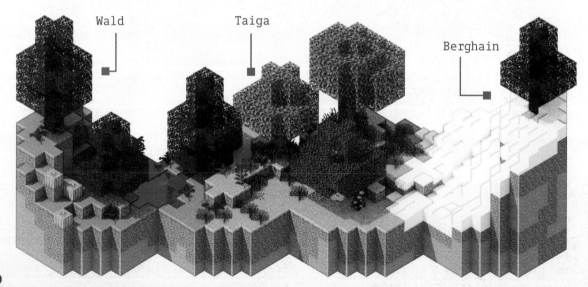

Wald

Taiga

Berghain

■ Skelette sind für die knochenverrückten Wölfe ein beliebtes Ziel.

Mob-Notizen

VERHALTEN: Neutral. Zahme Wölfe stehen dir bei Gefechten gegen Monster bei.

HAT ANGST VOR: Wohl eher ‚wer hat Angst vor ihnen'! Kaninchen, Füchse, Schildkrötenbabys und Skelette fliehen vor Wölfen.

BEOBACHTUNGEN: Ein wütender Wolf hat einen geraden Schwanz, hängt er hinunter, ist er ungezähmt. Biete ihm Knochen an.

Die Augen eines Wolfs sind normalerweise schwarz, aber glühen gefährlich rot, wenn er wütend wird.

Du kannst so viele Wölfe zähmen, wie du willst. Falls du jetzt mit dem Gedanken spielst, eine Wolfsarmee heranzuziehen ... dann nur zu Kuschelzwecken, oder? ODER?

Der Schwanz eines zahmen Wolfs repräsentiert seinen Zustand. Zeigt er nach oben, ist er gesund, hängt er hinunter, braucht er etwas zu fressen.

GRÖSSENTABELLE

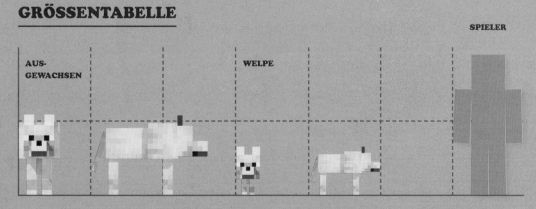

SPIELER

AUS-
GEWACHSEN

WELPE

SKELETT

Hast du gerade das typische Geräusch gehört, wenn ein Pfeil von der Bogensehne schnellt? Dann hat dich womöglich ein Skelett im Visier. Diese Wesen benutzen zu gern unbedarfte Abenteuersuchende als Zielscheibe, die ihre erste Nacht in der Oberwelt verbringen ... bzw. ihre zweite oder dritte. Such dir nach Sonnenuntergang einen Unterschlupf, um ihnen nicht zum Opfer zu fallen.

> *Genau genommen steckt in jedem von uns ein Skelett ... und zwar IN-NEN, wo es hingehört! Nicht draußen auf der Pirsch, um mir den schönen Abend zu ruinieren! Andererseits kannst du an ihnen deine Kampfskills verfeinern, um dich auf die starken Gegner vorzubereiten, die in den späteren (angsteinflößenderen) Kapiteln dieses Buchs vorgestellt werden. Halte am besten Abstand, denn diese Typen schießen aus 15 Blöcken Entfernung.*

LEBENSRAUM

Untote sind nicht wählerisch. Deshalb spawnen Skelette außer auf Pilzland und im Tiefen Dunkel bei spärlichem Licht in ALLEN Oberwelt-Biomen. Daher ist es fast unmöglich, ihnen ganz aus dem Weg zu gehen. Rüste dich gut aus, bevor du dich in die Nacht hinaus oder in schattige Bereiche wie unter Baumkronen und in Höhlen wagst.

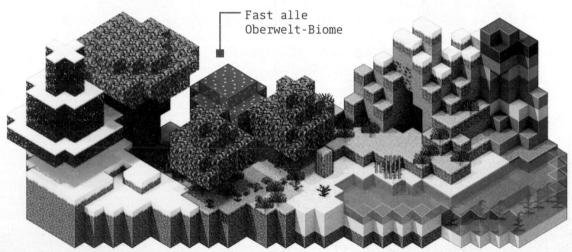

Fast alle
Oberwelt-Biome

■ *Geh schnell in Deckung. Skelette sind überraschend gute Schützen!*

Mob-Notizen

VERHALTEN: Diese Monster erwischen dich oft kalt und unerwartet. Ein Grund mehr, sich möglichst früh mit einem Schild auszurüsten.
DROPS: Skelette hinterlassen meist Knochen und Pfeile ... und ihren Kopf, wenn sie durch die Explosion eines Creepers umkommen.

Die meisten neutralen und aggressiven Mobs ignorieren Skelette, aber wenn sie von einem verirrten Pfeil getroffen werden, greifen sie sie an. Das kannst du zu deinem Vorteil nutzen.

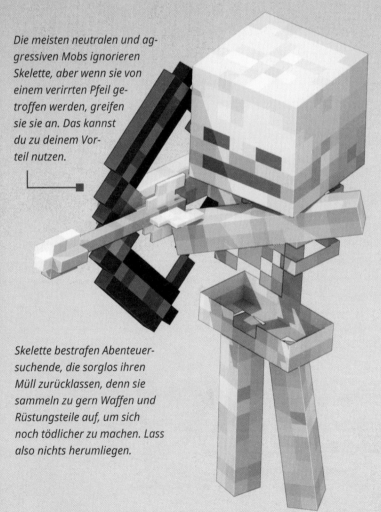

Skelette bestrafen Abenteuersuchende, die sorglos ihren Müll zurücklassen, denn sie sammeln zu gern Waffen und Rüstungsteile auf, um sich noch tödlicher zu machen. Lass also nichts herumliegen.

Halte die Ohren nach Pfeilen offen, die in der Nähe landen. Hörst du einen, geh am besten sofort in Deckung.

GRÖSSENTABELLE

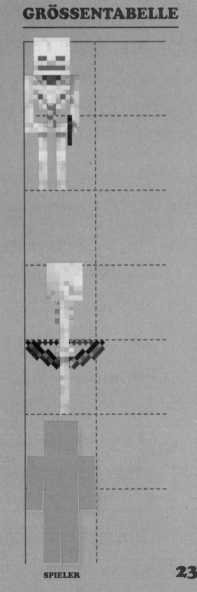

SPINNE

Diese gruseligen Krabbeltiere sind superflink und huschen über Blöcke und Mauern, um zu dir zu gelangen. Im Sonnenlicht sind sie friedlich, aber wenn die Nacht hereinbricht, solltest du es tunlichst vermeiden, diese Arachniden zu unterschätzen.

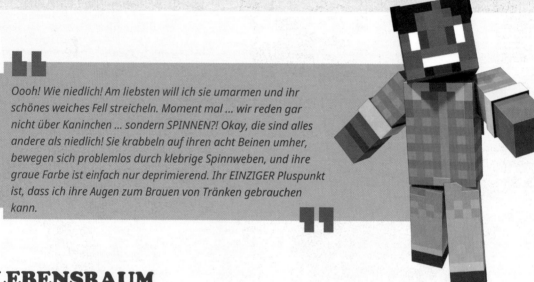

Oooh! Wie niedlich! Am liebsten will ich sie umarmen und ihr schönes weiches Fell streicheln. Moment mal ... wir reden gar nicht über Kaninchen ... sondern SPINNEN?! Okay, die sind alles andere als niedlich! Sie krabbeln auf ihren acht Beinen umher, bewegen sich problemlos durch klebrige Spinnweben, und ihre graue Farbe ist einfach nur deprimierend. Ihr EINZIGER Pluspunkt ist, dass ich ihre Augen zum Brauen von Tränken gebrauchen kann.

LEBENSRAUM

Mit Ausnahme vom Pilzland und dem Tiefen Dunkel spawnen Spinnen in allen Oberweltbiomen. Die gute Nachricht ist, dass sie manchmal an Blättern hängen, weshalb sie in Wäldern besonders oft vorkommen. Okay, diese Nachricht ist nur gut, wenn du Spinnen magst. Sorry, da habe ich mich wohl etwas unklar ausgedrückt.

Fast alle
Oberwelt-Biome

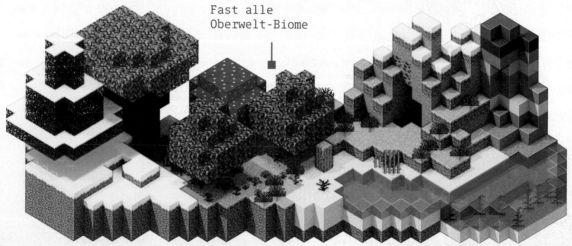

■ *Mauern sind für Spinnen kein Hindernis. Denk daran, wenn du vor einer fliehst!*

Mob-Notizen

VERHALTEN: Selbst bei Tageslicht solltest du dich in ihrer Nähe nicht zu sicher fühlen. Denn kaum wird es dunkel, werden Spinnen aggressiv!

DROPS: Neben Spinnenaugen droppen sie immer Fäden, aus denen du Leinen, Angeln und Bögen herstellen kannst.

Spinnenaugen glühen bedrohlich im Dunkeln und sind sogar essbar. Lass es trotzdem lieber sein ...

Dank ihrer acht Beine kann dich eine Spinne aus dem Sprung angreifen. Das Geräusch einer krabbelnden Spinne gehört zu den gruseligsten in der ganzen Oberwelt.

Spinnen greifen an, indem sie dich mit ihren Fangzähnen beißen. Höhlenspinnen vergiften ihre Opfer zusätzlich. Hinterhältig!

GRÖSSENTABELLE

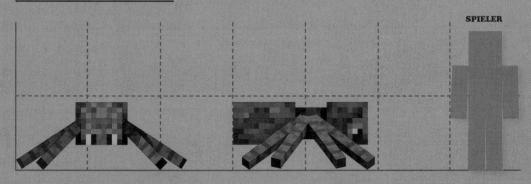

SPIELER

ZOMBIE

Hörst du ein Knurren? Das könnte dein Magen sein ... Wann hast du zum letzten Mal etwas gegessen? Gerade eben? Okay, DANN ist es doch eher ein Zombie! Diese Monster torkeln meist ziellos durch die Oberwelt und lauern Abenteuersuchenden auf. Halte die Ohren nach dem typischen Stöhnen offen, um keinem zum Opfer zu fallen.

■

Was könnte furchteinflößender sein als ein Monster, dessen einziges Geräusch ein unirdisches Stöhnen ist? Zombies solltest du lieber aus dem Weg gehen. Wenn du gut mit dem Schwert umgehen kannst, sollte einer dieser eifrigen Beißer kein Problem sein ... eine Gruppe hingegen kann dich schnell überrennen. Nimm dich besonders vor der Babyvariante in Acht. Die ist zwar total süß – am liebsten würde ich den kleinen Rackern in die Wange kneifen – aber sie sind blitzschnell und beißen genauso fest zu wie die Erwachsenen. Autsch!

LEBENSRAUM

Zombies spawnen fast überall, außer im Pilzland und dem Tiefen Dunkel. Sie tauchen nur bei niedrigen Lichtleveln auf und verbrennen im Sonnenlicht, sodass du tagsüber vor ihnen sicher bist ... es sei denn, sie tragen eine schützende Kopfbedeckung! Stöhn!

Fast alle
Oberwelt-Biome

■ *Da drin bist du sicher. Jedenfalls solange die Tür geschlossen ist!*

Aufgrund ihres typischen Stöhnens hörst du Zombies meist, bevor du sie siehst.

Diese Untoten können mit Waffen und Rüstung umgehen. Das Gute daran? Wenn du einen besiegst, lässt er den Gegenstand manchmal fallen.

Zombies fuchteln mit den Armen, um dich zu schlagen. In großer Anzahl können sie ziemlich gefährlich werden.

GRÖSSENTABELLE

AUS-GEWACHSEN

BABY

SPIELER

CREEPER

Falls du beim Erkunden ein ZISCHEN hörst ... Nun, sagen wir es so: Schlangen gibt's in der Oberwelt bislang nicht. Das war die gute Nachricht. Die Schlechte? Der zischende Creeper gehört zu den tödlichsten Wesen, denn er schleicht sich an dich heran und sorgt für einen Riesenknall!

> *Das wohl berühmteste Wesen der ganzen Oberwelt ist ein grüner Quader, der hochgeht, wenn du ihm zu nahe kommst? Wow, die süßen Ferkel dieser Welt sollten wirklich ihre Manager feuern. Ich weiß, man sollte nie nur nach dem Äußeren gehen (es sei denn, es ist das Äußere eines Buchs, auf dem ich zu sehen bin, denn das wäre supercool!), aber wenn ein Wesen schon Creeper heißt ... obendrein eins mit einem so miesepetrigen Gesichtsausdruck, das zischt, blinkt UND EXPLODIERT, wenn du ihm auf die Pelle rückst ... dann ergreife lieber die Flucht. Hey! Warte auf mich!*

LEBENSRAUM

Creeper kommen fast überall in der Oberwelt außer im Pilzland und dem Tiefen Dunkel vor. Sie sind extrem leise unterwegs und schleichen sich an dich heran. Was immer du tust, halte die Ohren nach dem typischen Zischen offen!

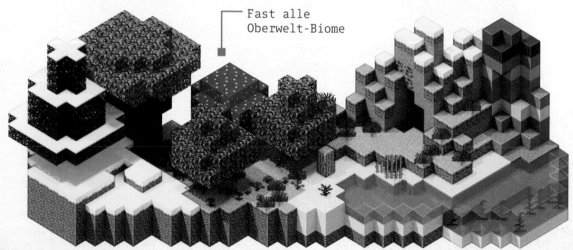

Fast alle
Oberwelt-Biome

■ *Wir hoffen, wer immer dieses Foto gemacht hat, konnte schnell genug weglaufen ...*

Mob-Notizen

HAT ANGST VOR: Creeper fürchten sich nicht vor viel ... außer Katzen und Ozelots. Hm ... Allergie?

DROPS: Wenn sie besiegt werden (ohne Explosion!), hinterlassen sie Schwarzpulver, was du für TNT oder Feuerwerk nutzen kannst.

Wenn du dich innerhalb eines Radius von 16 Blöcken um einen Creeper aufhältst, wird er auf dich aufmerksam und nimmt die Verfolgung auf.

Schlägt ein Blitz in vier Blöcken Abstand zu einem Creeper ein, wird er zum geladenen Creeper, dessen Explosion fast doppelt so heftig ist.

Der schmale, armlose Körper eines Creepers expandiert, kurz bevor er explodiert.

GRÖSSENTABELLE

ENTDECKER

Seid gegrüßt, Reisende! Ich bin Dwight Wanderer, meines Zeichens berühmter Oberwelt-Erkunder! Wie bitte? Du hast noch nie von mir gehört? Hahaha, guter Witz! Ich bin so unfassbar berühmt, dass ich mich ehrlich frage, warum sie es *Minecraft* genannt haben und nicht *Dwightcraft*. Wie auch immer, ich LIEBE das Erkunden! Aber sei gewarnt – auf den folgenden Seiten stelle ich dir zunehmend gefährliche Monster vor. Tödliche Mobs wie ... Papageien! Okay, schlechtes Beispiel. Sei trotzdem auf der Hut, denn dich erwarten eine Menge aggressiver Kreaturen! Also lass uns mutig umblättern und uns ihnen stellen. Ähm, kannst du vorgehen? Ich gebe dir Deckung, okay?

BIENE

Als Chefbestäuberin der Oberweltblumen und Erzeugerin einer ihrer süßesten Leckereien ist die Biene ein wichtiger Teil des Ökosystems von Minecraft. Aufgrund ihrer grellgelben Körper und niedlichen Fühler hielten sie schon viele Abenteuersuchende für pelzige Freunde, aber plünderst du ihr Nest unvorbereitet, wirst du bald Bekanntschaft mit ihrem Stachel machen ...

> *Ich dachte immer, meine Lust auf Süßes sei meine größte Schwäche ... bis ich versuchte, sie mit etwas Honig aus einem Bienennest zu stillen. Danach wurde mir klar: Meine größte Schwäche sind Bienenstiche. Okay, Bienen verdienen Respekt, weil sie echte Teamplayer sind ... und meinen armen honigliebenden Leib im Schwarm angreifen. Uff! Und nun entschuldige mich, all das heldenhafte Schreiben über Honig hat mich hungrig gemacht. Ich glaube, ich genehmige mir einen Schluck ... AUA!!*

LEBENSRAUM

Ein paar der auf Ebenen, Sonnenblumenebenen und in Mangrovensümpfen vorkommenden Eichen und Birken spawnt mit Bienennestern am Stamm – genau wie einige Kirschbäume in Kirschberghainen. In Waldbiomen sind sie noch seltener. Bienenverrückte mit gutem Auge sollten sich eine Alm suchen, wo die Brummer am häufigsten in der Nähe von Eichen und Birken vorkommen.

Alm   Ebene   Sonnenblumenebene

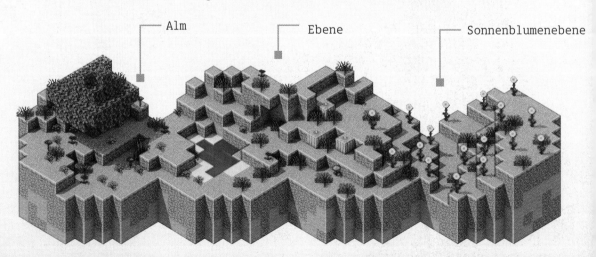

■ *Dwight meinte einmal fälschlicherweise, er hätte die Bienen zuerst entdeckt, und wollte sie „Dwummeln" nennen.*

Wenn eine Biene Pollen gesammelt hat, kannst du sie an ihrem Hinterteil sehen.

Bienen sammeln Pollen von Blumen, Azaleen und Mangroven-Keimlingen. Fliegen sie mit Pollen am Hinterteil über Weizen, Kartoffeln oder Karotten, beschleunigt sich dadurch das Pflanzenwachstum.

Provozierst du eine Biene, wird sie wütend. Dann verfärben sich ihre Augen rot, und sie und ihr Schwarm nehmen die Verfolgung auf.

GRÖSSENTABELLE

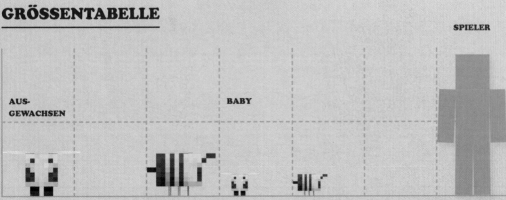

SPIELER

AUS-
GEWACHSEN

BABY

ESEL

Du wolltest schon immer ein Pferd mit langen Ohren, dunklen Fersen und einer kurzen Mähne? Dann entspricht ein Esel genau deinen Vorstellungen! Diese wundervollen Kreaturen sind tolle Reisebegleiter, denn sie können sowohl dich als auch eine Truhe transportieren. So kannst du massig Gegenstände mitnehmen!

Ich liebe es, die Wunder der Oberwelt auf dem Rücken eines zahmen Esels zu erleben. Als Abenteurer brauche ich nämlich viel Platz für meine wichtigsten Ausrüstungsgegenstände, und da kommt mir ein Packesel gerade recht! Wie bitte? Du hast in meine Kiste geschaut und nur stapelweise Kuchen gefunden? Also, dazu kann ich nur sagen: Erkunden auf leeren Magen ist ... ähm, ungesund! Esel, lass uns verschwinden. Unsere Abenteuersuchenden stellen mal wieder zu viele Fragen ...

LEBENSRAUM

Esel streifen durch Ebenen, Sonnenblumenebenen, Savannen und Almen. Ebenen gehören zu den gängigsten Biomen der Oberwelt, du wirst also nicht lange nach einem dieser sympathischen Reittiere suchen müssen.

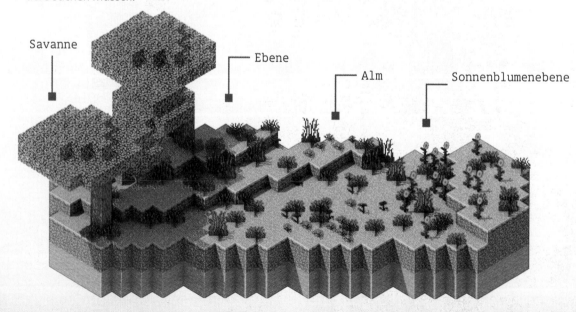

Savanne — Ebene — Alm — Sonnenblumenebene

34

■ *Kein Wunder, dass Esel die Sonnenblumenebene lieben. Sie ist wirklich schön anzuschauen!*

Mob-Notizen

VERHALTEN: Versuch nicht, einen Esel zu satteln, der nicht zahm ist. Im Ernst, die verstehen keinen Spaß!

DROPS: Besiegte Esel droppen manchmal Leder sowie Sättel und Truhen, mit denen sie ausgerüstet waren – inklusive Inhalt!

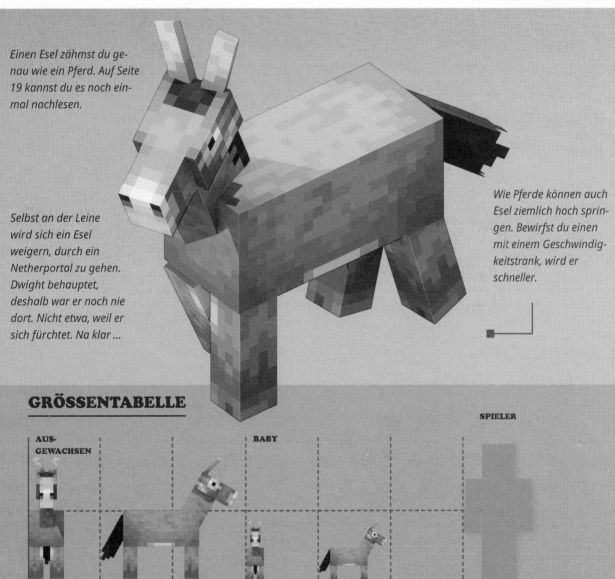

Einen Esel zähmst du genau wie ein Pferd. Auf Seite 19 kannst du es noch einmal nachlesen.

Selbst an der Leine wird sich ein Esel weigern, durch ein Netherportal zu gehen. Dwight behauptet, deshalb war er noch nie dort. Nicht etwa, weil er sich fürchtet. Na klar ...

Wie Pferde können auch Esel ziemlich hoch springen. Bewirfst du einen mit einem Geschwindigkeitstrank, wird er schneller.

GRÖSSENTABELLE

SPIELER

AUSGEWACHSEN

BABY

MAULTIER

Diese rotbraune Kreuzung aus Esel und Pferd vereint die besten Eigenschaften ihrer Eltern, die deshalb bestimmt total stolz auf ihren Nachwuchs sind! Maultiere sind größer als Esel, aber haben ihre Ohren und die kurze Mähne geerbt und bieten Abenteuersuchenden eine tolle Transportgelegenheit.

Warum gibt's in meinem Buchabschnitt so viele Reittiere? Will mir etwa irgendjemand durch die Blume sagen, ich sei faul? Frechheit! Ich würde ja von meinem Maultier absteigen und die Person zu einem Faustkampf herausfordern ... aber ich habe keine Lust. Maultiere sind meine Lieblinge unter den Pferdeartigen der Oberwelt. Ich liebe einfach ihre Fellfarbe. Zu schade, dass sie untereinander keine Fohlen bekommen können – so viel zu meinem Traum einer Maultierfarm. Andererseits hält mich nichts davon ab, möglichst viele Esel und Pferde zu kreuzen.

LEBENSRAUM

Maultiere gehören zu den seltenen Mobs, die in Minecraft nicht natürlich vorkommen – aber du kannst sie erschaffen, indem du dir einen Esel und ein Pferd suchst und beide entweder mit goldenen Karotten oder goldenen Äpfeln fütterst, woraufhin ein Fohlen spawnt. Ja, diese Tiere sind echte Gourmets, aber dafür erhältst du ein wundervolles Maultier!

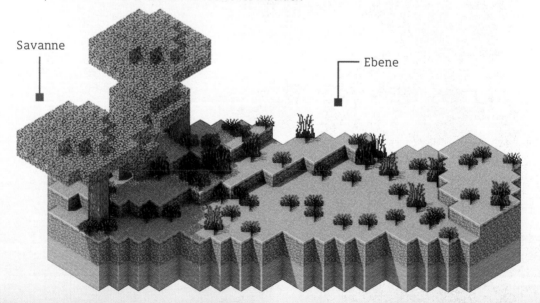

Savanne

Ebene

■ Wenn du ein Maultier haben möchtest, kreuze einen Esel mit einem Pferd.

Maultiere lassen sich problemlos an der Leine führen.

Ein Maultierfohlen braucht 20 Minuten, um heranzuwachsen. Wenn du nicht so lange warten möchtest, füttere es mit Zucker, Weizen, Äpfeln, goldenen Äpfeln, goldenen Karotten oder Heuballen.

Diese Reittiere sind in der Lage, ihre Gesundheit nach und nach wiederherzustellen. Eine superseltene Eigenschaft!

GRÖSSENTABELLE

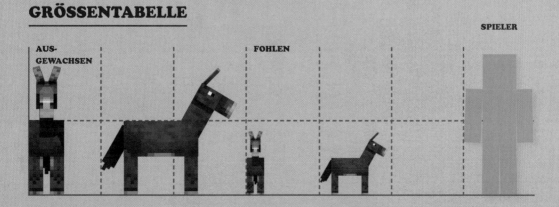

SPIELER

AUS-
GEWACHSEN

FOHLEN

KAMEL

Dieses Tier weiß anscheinend, dass man die größten Abenteuer der Oberwelt am besten gemeinsam angeht, denn es lässt als einziges in ganz Minecraft ZWEI Reitende auf seinen Rücken. Wenn du außerdem genug von grimmigen Creeper-Fratzen hast, such dir ein Kamel als Gefährten – sein schiefes Grinsen ist nämlich ansteckend!

> Ein Reittier für zwei? Ha! Ich brauche keine Begleiter! Oder Freunde. Das ist ... ähm, der einzige Grund, warum ich allein reise! Die Wüste ist nicht so trostlos, seit ich mich von meinem Kamel umhertragen lasse. Ich bewundere diese Mobs für ihre innere Ruhe, die sie dazu verleitet, sich ab und an einfach hinzulegen. Nun muss ich nur noch einen Freund finden, der mit mir reitet ... Moment, das wollte ich nicht schreiben! Ans Lektorat: Den letzten Satz bitte löschen. Da fällt mir ein – wollt ihr nicht mal mit zum Kamelreiten?

LEBENSRAUM

Wenig überraschend findest du Kamele in der Wüste – genauer gesagt in den dortigen Dörfern. Aber aufgepasst, wenn ein Kamel stirbt, spawnt nicht automatisch ein neues! Aber wer würde schon ein süßes Kamel erlegen? Du jedenfalls nicht ... oder?

Wüstendorf

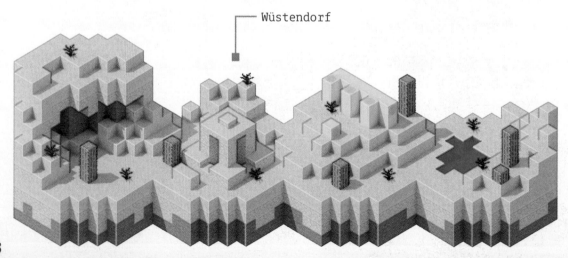

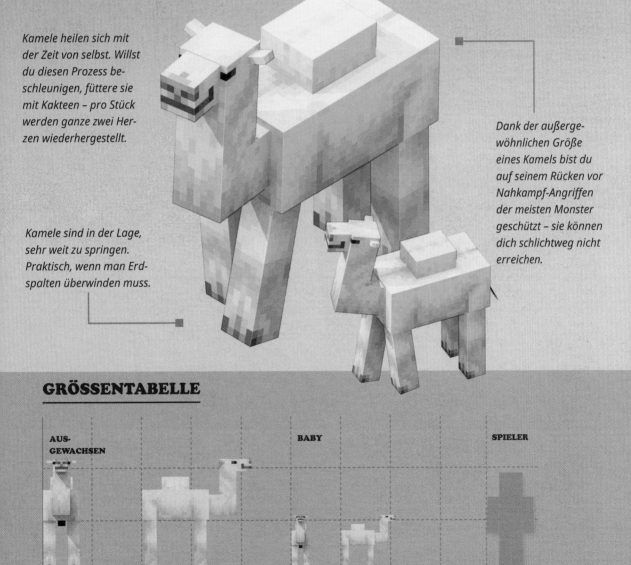

■ Leider kann man sich nicht bei einem Kamel bedanken, indem man ES durch die Wüste trägt. Eigentlich unfair ...

Mob-Notizen

BEOBACHTUNGEN: Sie sind zwar langsam, aber können zwei Spielende tragen und legen auf flachem Terrain an Tempo zu.
SCHON GEWUSST? Kamele legen sich oft hin, um sich von den Strapazen der Wüstenhitze auszuruhen. Dann folgen sie dir nicht, selbst wenn du ihnen etwas Kaktus anbietest.

Kamele heilen sich mit der Zeit von selbst. Willst du diesen Prozess beschleunigen, füttere sie mit Kakteen – pro Stück werden ganze zwei Herzen wiederhergestellt.

Kamele sind in der Lage, sehr weit zu springen. Praktisch, wenn man Erdspalten überwinden muss.

Dank der außergewöhnlichen Größe eines Kamels bist du auf seinem Rücken vor Nahkampf-Angriffen der meisten Monster geschützt – sie können dich schlichtweg nicht erreichen.

GRÖSSENTABELLE

AUS-
GEWACHSEN

BABY

SPIELER

SCHNÜFFLER

Diese Spezies galt so lange als ausgestorben, dass viele Forschende der Naturgeschichte sie für einen bloßen Mythos hielten. Nun ist der uralte Mob zurück und watschelt geruhsam und laut schnüffelnd durch die Oberwelt. Babyschnüffler wachsen zu wahren Riesen heran, die in der Lage sind, antike Samen auszugraben. Pflanze die Samen ein, wenn du einzigartige bunte Gewächse züchten möchtest.

> *Einen Schnüffler aufzuspüren, ist kein leichtes Unterfangen – das weiß niemand besser als ich. Nur Forschungstalente können das! Meinen habe ich mit Riley Wellenfluts Hilfe aufgezogen. Riley war auf Tauchgang in den Ruinen eines warmen Ozeans unterwegs, fand in etwas seltsamem Sand ein paar Eier und gab sie mir. Sie waren anders als alles, was ich je gesehen hatte, also wachte ich Tag und Nacht in ihrer Nähe, bis die Schale aufbrach. Kurz darauf schlüpfte ein Tier, das sofort anfing umherzustreifen, als wäre es auf der Suche nach etwas. Irgendwann grub es ein paar Ingwerliliensamen aus, die ich behielt, denn damit kann man verletzte Schnüffler heilen.*

LEBENSRAUM

Schnüffler-Eier findest du nur in seltsamem Sand, der in Ruinen in warmen Ozeanen vorkommt. Ist das Junge geschlüpft, kannst du es führen, wohin du willst. Erwachsene Tiere können aus Erde, Grasblöcken, Podsol, grober Erde, wurzeldurchzogener Erde, Moosblöcken, Schlamm und schlammigen Mangrovenwurzeln Samen ausgraben.

Warmer Ozean

■ *Ein Schnüffler buddelt im Boden nach Samen.*

Mob-Notizen

VERHALTEN: Wenn ein Schnüffler mit der Nase in der Erde wühlt, kommt manchmal ein Ingwerliliensamen zum Vorschein. Damit kannst du sie sowohl züchten als auch heilen.

BEOBACHTUNGEN: Babyschnüffler, auch Snifflets genannt, sehen aus wie die Erwachsenen, haben allerdings im Verhältnis einen größeren Kopf.

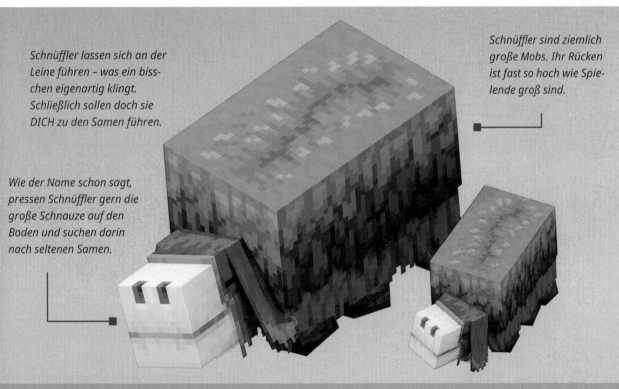

Schnüffler lassen sich an der Leine führen – was ein bisschen eigenartig klingt. Schließlich sollen doch sie DICH zu den Samen führen.

Schnüffler sind ziemlich große Mobs. Ihr Rücken ist fast so hoch wie Spielende groß sind.

Wie der Name schon sagt, pressen Schnüffler gern die große Schnauze auf den Boden und suchen darin nach seltenen Samen.

GRÖSSENTABELLE

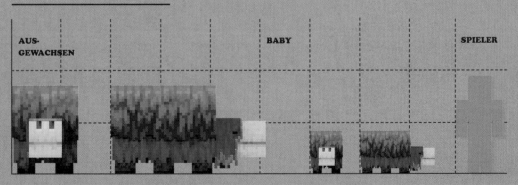

AUS-
GEWACHSEN

BABY

SPIELER

PAPAGEI

Zisch! Stöhn! Krächz! Nur wenige Mobs verfügen über ein so abwechslungsreiches Geräuscharsenal wie der Papagei. Diese bunt gefiederten Racker sind talentierte Imitatoren, die andere Mobs nachahmen – was sie zu hilfreichen Alarmgebern macht ... oder zu nervtötenden Schreckgespenstern.

■

"
Wieso habe ich noch nie einen Papagei getroffen, der den Satz ‚Dwight Wanderer ist der Beste' nachahmen kann, obwohl ich ihn ständig wiederhole? Ich glaube, einer hat mal gesagt ‚Dwight Wanderer sollte öfter duschen', aber da muss ich mich verhört haben ... Ich müsste mir mal wieder die Ohren waschen. Jedenfalls mag ich diese Vögel total. Obwohl sie dir vorgaukeln können, dass dir eine Spinne auf den Fersen ist, woraufhin du wimmernd nach Hause rennst und dich versteckst. Äh, rein hypothetisches Beispiel ...
"

LEBENSRAUM

Papageien findest du in allen Dschungelbiomen. Sie sind allerdings relativ selten, also halt die Augen nach kleinen Farbtupfern in all dem Grün offen!

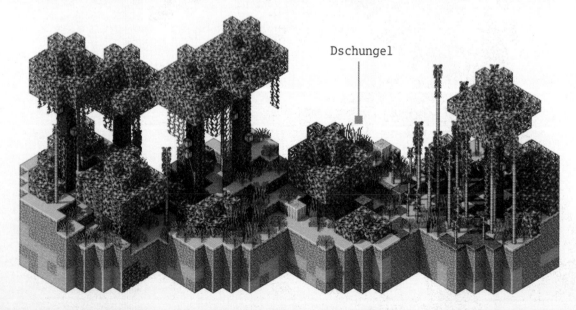

Dschungel

■ *Papageien kommen in fünf Farben vor. Findest du sie alle?*

Mob-Notizen

VERHALTEN: Diese kleinen Schelme imitieren zu gern andere Mobs und können dir einen Mordsschreck einjagen, weil sie dich glauben machen, dir sei ein Creeper auf den Fersen! Kakao vertragen sie übrigens nicht – fütterst du sie mit Keksen, sterben sie!
DROPS: 1-2 Federn, wenn du sie besiegst.

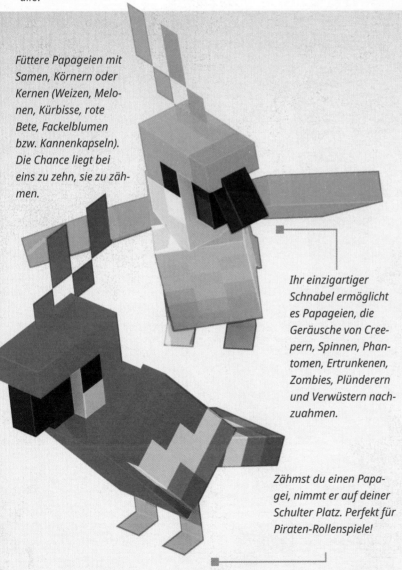

Füttere Papageien mit Samen, Körnern oder Kernen (Weizen, Melonen, Kürbisse, rote Bete, Fackelblumen bzw. Kannenkapseln). Die Chance liegt bei eins zu zehn, sie zu zähmen.

Ihr einzigartiger Schnabel ermöglicht es Papageien, die Geräusche von Creepern, Spinnen, Phantomen, Ertrunkenen, Zombies, Plünderern und Verwüstern nachzuahmen.

Zähmst du einen Papagei, nimmt er auf deiner Schulter Platz. Perfekt für Piraten-Rollenspiele!

GRÖSSENTABELLE

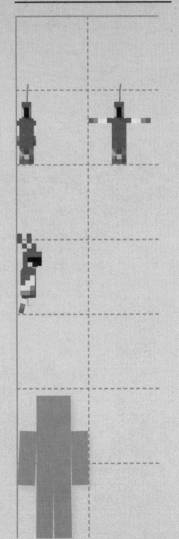

SPIELER

ZIEGE

Ziegen klettern mit Vorliebe auf die höchsten Berggipfel und sind nützliche Haustiere, denn sie geben Milch und hinterlassen ab und zu Hörner. Aber Vorsicht – manche schreien durchdringend, andere sind ziemlich angriffslustig und rennen aus bis zu 16 Block Entfernung auf dich zu, um dich zu rammen!

> *Mich hat mal jemand GOAT genannt – Greatest of all Time! Bald darauf wurde mir klar, dass die Person das TIER meinte. Ich kreische nämlich hin und wieder. Tja, mir macht das nichts aus – ich bin nämlich stolz, etwas mit diesen Kreaturen gemeinsam zu haben! Ich liebe Ziegen und weiß, sie lieben mich. Warum sonst würde die dort drüben ihren Kopf senken (aus Respekt), mit dem Huf stampfen (aus Bewunderung) und auf mich zustürmen (bestimmt für eine Umarmung)? Okay, langsam, sonst stößt sie mich noch versehentlich vom Gipf...AAAAHHHHHHH!*

LEBENSRAUM

Ziegen lieben das Gebirge und kommen nur in kalten Biomen vor, wo sie sich an steilen Berghängen aufhalten. Du darfst also keine Höhenangst haben, wenn du eine Ziege sehen willst. Und pack dir vor der Klettertour Vorräte ein!

Kalte Bergbiome

■ Was ist mit der Person passiert, die eben noch neben dieser Ziege stand? Hoffentlich wurde sie nicht gerammt ...

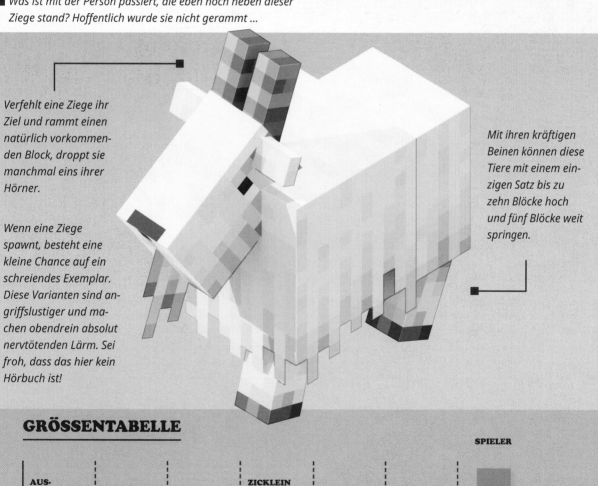

Verfehlt eine Ziege ihr Ziel und rammt einen natürlich vorkommenden Block, droppt sie manchmal eins ihrer Hörner.

Wenn eine Ziege spawnt, besteht eine kleine Chance auf ein schreiendes Exemplar. Diese Varianten sind angriffslustiger und machen obendrein absolut nervtötenden Lärm. Sei froh, dass das hier kein Hörbuch ist!

Mit ihren kräftigen Beinen können diese Tiere mit einem einzigen Satz bis zu zehn Blöcke hoch und fünf Blöcke weit springen.

GRÖSSENTABELLE

AUS-GEWACHSEN

ZICKLEIN

SPIELER

OZELOT

Ein gepunktetes Dschungeltier, das trotzdem extrem schwer zu entdecken ist. Was vor allem daran liegt, dass Ozelots sich lieber an dich heranschleichen als umgekehrt – vor allem, wenn du ein Küken oder eine Babyschildkröte bist. Willst du diese Kätzchen für dich gewinnen, füttere sie mit rohem Fisch!

> *Ich habe Jahre damit verbracht, jeden Winkel der Oberwelt-Dschungel zu erforschen – vor allem, weil ich mich dort ständig verirre – und dabei dieses superniedliche Fellknäuel entdeckt. Meine erste Reaktion? Ein verzücktes ‚Süüüß!' Ich hatte noch rohen Lachs und Kabeljau dabei – mein Mittagessen, das ich ihm anbot. Mit genug rohem Fisch lässt sich dieser Mob nämlich zähmen. Bald war ich stolzer Besitzer eines Ozelots. Ich nannte ihn Herrn Süßmiez (der beste Katzenname aller Zeiten). Wer braucht schon einen Ausweg aus dem Dschungel, wenn man einen so süßen Begleiter hat? Ähm ... ich. Bitte zeig ihn mir.*

LEBENSRAUM

Sie sind selten, aber kommen in allen Dschungeln und auf Almen vor. Du kannst sie herauslocken, indem du Hühner oder Babyschildkröten als Köder benutzt (was aber echt gemein wäre). Hast du einen entdeckt, sei vorsichtig! Wenn du zu schnelle Bewegungen machst, fliehen die scheuen Kätzchen.

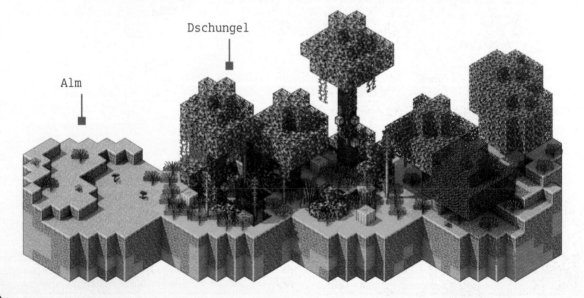

Dschungel

Alm

■ Hm? Wo ist der Ozelot hin? Es ist nicht leicht, ein gutes Foto zu machen – sie sind so flink!

Creeper und Phantome halten Abstand zu Ozelots – zähme einen und nimm ihn mit, um die Monster auf Abstand zu halten.

Ozelots sind immun gegen Fallschaden, also stoße sie ruhig von einer Klippe. Oder lieber nicht, das ist gemein!

Dank ihrer kräftigen Beine gehören sie zu den wenigen Mobs, die sprinten können. Sie sind beeindruckende Jäger und schleichen sich an ihre Beute an, bevor sie angreifen.

GRÖSSENTABELLE

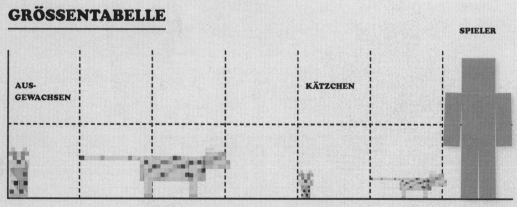

SPIELER

AUS-GEWACHSEN

KÄTZCHEN

KANINCHEN

Gute Kandidaten im Wettstreit um die süßesten Tiere der Oberwelt ... bis du siehst, was sie mit deinem Karottenbeet angestellt haben. Kaninchen hoppeln unablässig umher ... und zwar richtig schnell, wenn sie sich verfolgt fühlen. Vor dir fliehen sie ebenfalls ... schließlich könnte es sein, dass du es auf ihr Fell, ihr Fleisch oder ihre Pfoten abgesehen hast!

■

Diesen süßen Tierchen durch die ganze Oberwelt zu folgen, erschöpft sogar mich! Ich war in Blumenwäldern, Tundren und auf Almen, um die braunen, schwarzen und Pfeffer-Varianten aufzuspüren. Dann habe ich mich dick angezogen und in den verschneiten Varianten von Taiga, Ebene und Hängen nach weißen und schwarzweißen gesucht. Danach war ich zu durchgefroren, um in einer Wüste nach der sandfarbenen Variante zu suchen. Außerdem habe ich keine Karotten mehr. Hat noch jemand welche? Dwight braucht Energie, und zwar sofort!

LEBENSRAUM

Kaninchen kommen mit mehreren Fellzeichnungen vor und spawnen in vielen Biomen der Oberwelt. Sie sind relativ selten – die gängigste Variante ist die sandfarbene, also geh am besten in eine Wüste, wenn du ein Kaninchen für deinen Stall möchtest.

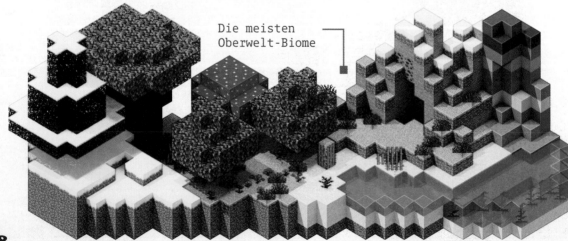

Die meisten
Oberwelt-Biome

■ *Kaninchen springen sogar von Klippen, wenn sie Karotten wittern. Die sind zwar lecker, aber SO lecker ...?*

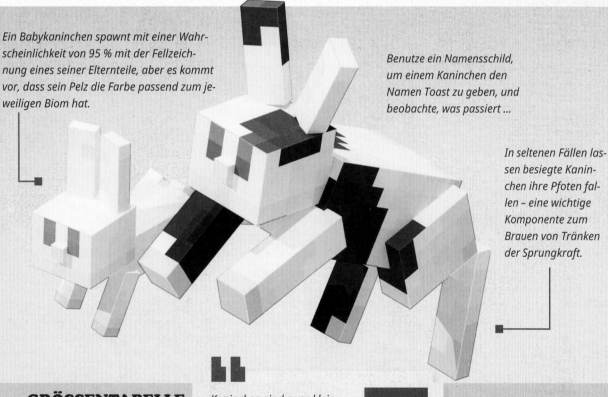

Ein Babykaninchen spawnt mit einer Wahrscheinlichkeit von 95 % mit der Fellzeichnung eines seiner Elternteile, aber es kommt vor, dass sein Pelz die Farbe passend zum jeweiligen Biom hat.

Benutze ein Namensschild, um einem Kaninchen den Namen Toast zu geben, und beobachte, was passiert ...

In seltenen Fällen lassen besiegte Kaninchen ihre Pfoten fallen – eine wichtige Komponente zum Brauen von Tränken der Sprungkraft.

GRÖSSENTABELLE

Kaninchen sind zwar klein, aber superflink und damit extrem schwer zu fangen!

SPIELER

AUS-
GEWACHSEN

BABY

PILZKUH

Eine skurrile Kuh, die es fertigbringt, sowohl die Farbe Rot als auch auf dem Rücken wuchernde Pilze gut aussehen zu lassen? Keine Frage, was Mode angeht, sind diese Wesen mutig UND kühn! Und die perfekten Gefährtinnen für vegetarische Farmbegeisterte, denn sie muhen nicht nur wie normale Kühe, sondern geben obendrein leckere Pilzsuppe anstatt Milch!

Erkunden macht hungrig. Besonders, wenn du wie ich bist und ständig vergisst, Essen mitzunehmen. Mist! Zum Glück sammle ich gern Blumen und bin soeben auf eine braune Pilzkuh gestoßen. Die sind superselten! Wusstest du, dass wenn du eine braune Pilzkuh mit bestimmten Blumen fütterst und sie dann melkst, eine Schale mit seltsamer Suppe erhältst? Der Suppen-Effekt hängt von der Blume ab. Verfütterst du Mohn, produziert die Kuh Nachtsicht-Suppe, eine Margerite ergibt Regeneration und ein Maiglöckchen die Suppe, die ich gerade gegessen habe ... Urks. Puh, ist mir schlecht ...

LEBENSRAUM

Der einzige Ort, an dem Pilzkühe vorkommen, ist das seltene Pilzland. Hast du das Glück, auf eins zu stoßen, züchte ruhig ein paar dieser besonderen Tiere. Füttere sie dafür einfach mit Weizen!

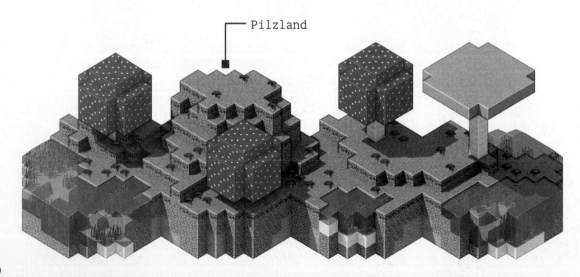

Pilzland

Mob-Notizen

BEOBACHTUNGEN: Diese Mobs sind zwar superselten und spawnen nur im Pilzland ... aber dann in Gruppen von bis zu acht Tieren.
DROPS: Besiegte Pilzkühe hinterlassen Leder und rohes Rindfleisch – beziehungsweise Steak, wenn sie an Feuerschaden gestorben sind.

■ Nutze lieber dieses Foto, statt dich in ein Gewitter zu wagen, um zu sehen, wie aus einer roten Pilzkuh eine braune wird.

Wird eine rote Pilzkuh vom Blitz getroffen, verwandelt sie sich in eine braune – und umgekehrt!

Wenn du eine Pilzkuh scherst, erhältst du fünf Pilze. Allerdings verwandelt sie sich dabei in eine normale Kuh.

GRÖSSENTABELLE

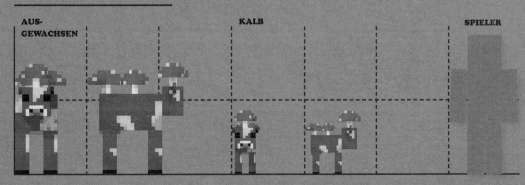

AUS-GEWACHSEN   KALB   SPIELER

PANDA

Pandas sind die wohl emotionalsten Tiere der Oberwelt, aber sie können sich ein dramatisches Auftreten erlauben, denn sie sind einfach zuckersüß. (Im Ernst, Pandas sind selbst beim Niesen niedlich!) Diese pelzigen, bambusverrückten Freunde sind vielleicht mein Lieblingsmob in ganz Minecraft. Sie sind zwar schwer zu finden, aber die stundenlange Suche lohnt sich!

Auf meinen Reisen bin ich schon allen Panda-Arten begegnet. Besorgte schauen vor allem bei Gewitter ängstlich. Normale runzeln die Stirn, wenn sie mich sehen, obwohl ich echt nett bin. Verspielte Pandas strecken mir die Zunge heraus, obwohl ich – wie schon gesagt – ECHT NETT bin. Aggressive Pandas nehmen es persönlich, wenn ich sie versehentlich kitzele. Schwache Babypandas niesen oft, wie ich zu meiner (etwas ekligen) Überraschung lernte, als ich einem zu nahe kam. Faule Pandas bewegen sich besonders gemächlich – die langsamsten Kreaturen der Oberwelt! Wie inspirierend! Ich fühle mich auch faul. So faul, dass ich diesen Satz nicht zu Ende schr...

LEBENSRAUM

Pandas gibt es nur in Dschungeln, aber sie sind sehr selten. Selbst in Bambusbiomen, wo sie am häufigsten vorkommen, sieht man sie fast nie. Wenn du alle Arten finden willst, wirst du sehr lange suchen müssen!

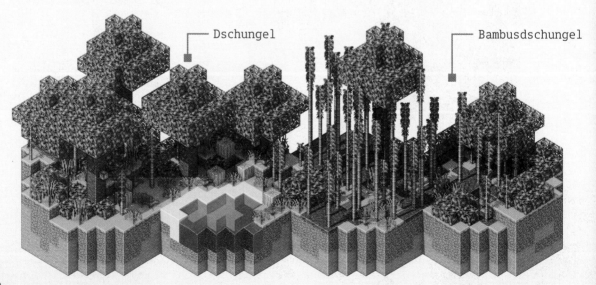

Dschungel

Bambusdschungel

■ *Jeder weiß, dass Pandas Bambus lieben, aber sie mögen auch Kuchen. Verständlich!*

Mob-Notizen

BEOBACHTUNGEN: Pandas sind die einzigen Mobs mit eigenen Persönlichkeiten. Welchen wirst du begegnen? Ein besorgter Panda zittert zum Beispiel bei Gewitter und vergräbt das Gesicht in den Pfoten. Armes Ding!

DROPS: Besiegte Pandas droppen Bambus.

Sie mögen wenig sportlich aussehen, aber verspielte Pandas lieben es, umherzurollen und zu springen – so sehr, dass sie nicht auf Klippen achten und manchmal Fallschaden davontragen.

In sehr seltenen Fällen spawnen Pandas mit Babyzombievarianten auf dem Rücken.

Die meisten Pandas sind schwarz-weiß, aber es gibt auch braun-weiße.

GRÖSSENTABELLE

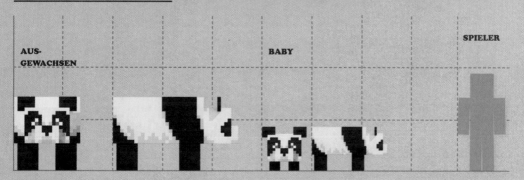

AUS-
GEWACHSEN

BABY

SPIELER

PHANTOM

Fällt es dir schwer, dich an feste Schlafenszeiten zu gewöhnen? Dann kommt hier der beste (und furchterregendste) Grund für einen regelmäßigen gesunden Schlaf: Phantome – auch bekannt als Monster des Nachthimmels – spawnen, wenn du drei Nächte in Folge nicht geschlafen hast. Bau lieber ein Bett und verschwinde unter der Decke, bevor sich eins auf dich stürzt ...

> *Meine Weggefährten sind super im Einschlafen – besonders, wenn ich ihnen von meinen Abenteuern erzähle ... Ich habe oft Einschlafschwierigkeiten. Deshalb suchen mich auch dauernd Phantome heim. Die sind wirklich furchteinflößend und können dir mit nur einem Biss SECHS Herzen nehmen! Leider sind meine Konter oft nicht schnell genug, um Schaden zu verursachen ... außer, wenn ich mir versehentlich selbst eine verpasse. Hey, nicht lachen – ich habe seit Tagen nicht geschlafen!*

LEBENSRAUM

Phantome scheinen sich weder um Klimazonen noch Biome zu scheren, denn sie kommen überall in der Oberwelt vor. Sie tauchen nur nachts oder bei Gewitter auf und scheinen aus dem Nichts zu kommen. Allerdings spawnen sie nur draußen unter freiem Himmel – suchst du unter einem lichtundurchlässigen Block Schutz, können sie dich nicht erreichen.

Alle Oberwelt-Biome

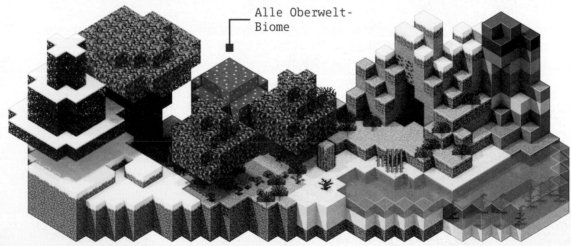

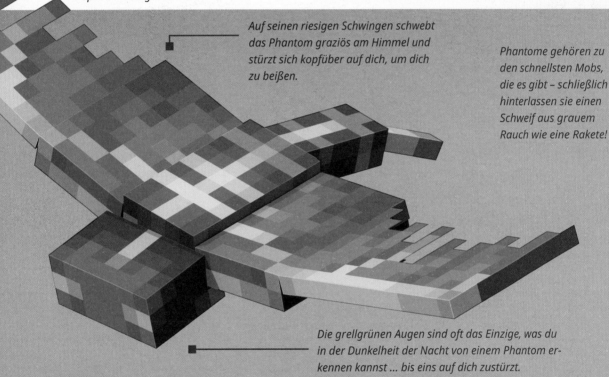

Mob-Notizen

HAT ANGST VOR: Phantome mögen keine Ozelots – falls du also einmal ein paar Nächte nicht schlafen kannst, hol dir eins dieser Kätzchen als Begleiter.

DROPS: Wird ein Phantom besiegt, droppt es manchmal eine Phantommembrane, die du für Tränke des langsamen Falls nutzen kannst.

■ Oje, sieht aus, als hätte hier jemand zu spät ein Bett gebaut.

Auf seinen riesigen Schwingen schwebt das Phantom graziös am Himmel und stürzt sich kopfüber auf dich, um dich zu beißen.

Phantome gehören zu den schnellsten Mobs, die es gibt – schließlich hinterlassen sie einen Schweif aus grauem Rauch wie eine Rakete!

Die grellgrünen Augen sind oft das Einzige, was du in der Dunkelheit der Nacht von einem Phantom erkennen kannst ... bis eins auf dich zustürzt.

GRÖSSENTABELLE

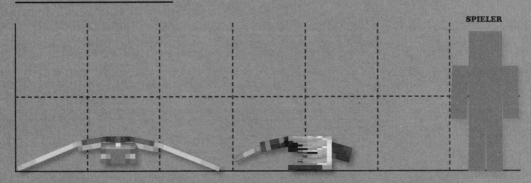

SPIELER

HÜHNERREITER

Babys sind süß. Hühner sind süß. Da sollte man denken, beides kombiniert sei doppelt süß, oder? Weit gefehlt! Denn der Hühnerreiter ist eher sauer – und zwar auf dich! Die sonst so freundlichen Hühner werden zu Instrumenten des Zorns, wenn auf ihrem Rücken die Babyvariante eines Zombies, Wüstenzombies, Zombie-Piglins oder Ertrunkenen thront. Was hat das arme Geflügel verbrochen, um als Reittier der gruseligsten Kids der Oberwelt dienen zu müssen?

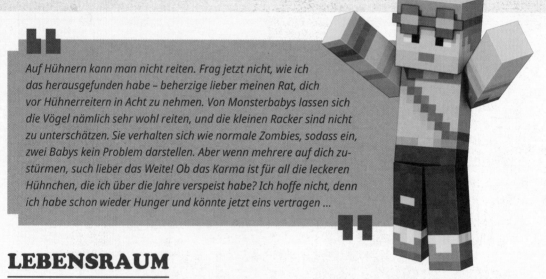

> *Auf Hühnern kann man nicht reiten. Frag jetzt nicht, wie ich das herausgefunden habe – beherzige lieber meinen Rat, dich vor Hühnerreitern in Acht zu nehmen. Von Monsterbabys lassen sich die Vögel nämlich sehr wohl reiten, und die kleinen Racker sind nicht zu unterschätzen. Sie verhalten sich wie normale Zombies, sodass ein, zwei Babys kein Problem darstellen. Aber wenn mehrere auf dich zustürmen, such lieber das Weite! Ob das Karma ist für all die leckeren Hühnchen, die ich über die Jahre verspeist habe? Ich hoffe nicht, denn ich habe schon wieder Hunger und könnte jetzt eins vertragen …*

LEBENSRAUM

Babyzombie-Varianten tauchen in fast allen Oberwelt-Biomen auf. Kommen dort auch Hühner vor, besteht die Chance, dass ein Hühnerreiter spawnt. Aber selbst in Biomen, wo es keine Hühner gibt, tauchen sie hin und wieder auf – nur, falls du einmal in einer Wüste auf ein verirrtes Huhn triffst und dich wunderst.

Fast alle
Oberwelt-Biome

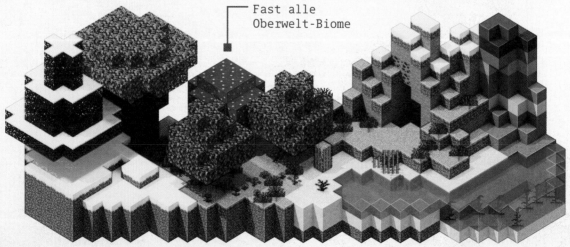

■ *Lass dich nicht vom harmlosen Äußeren täuschen –
diese Kombo ist tödlich!*

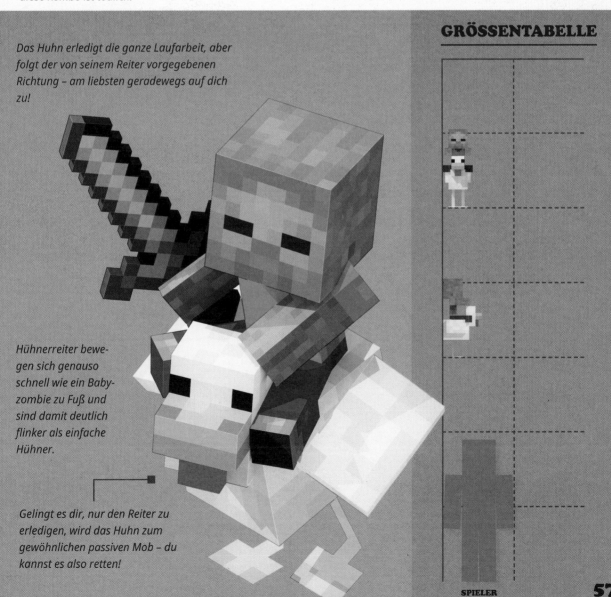

Das Huhn erledigt die ganze Laufarbeit, aber folgt der von seinem Reiter vorgegebenen Richtung – am liebsten geradewegs auf dich zu!

GRÖSSENTABELLE

Hühnerreiter bewegen sich genauso schnell wie ein Babyzombie zu Fuß und sind damit deutlich flinker als einfache Hühner.

Gelingt es dir, nur den Reiter zu erledigen, wird das Huhn zum gewöhnlichen passiven Mob – du kannst es also retten!

SKELETTPFERD & SKELETTREITER

Du entdeckst auf der Ebene ein Pferd, aber irgendetwas kommt dir komisch vor. Bestimmt nur, weil das Gewitter deine Sicht einschränkt, richtig? Falsch. Wenn du dich einem Skelettpferd bis auf zehn Blöcke näherst, schlägt ein Blitz ein, woraufhin vier gefährliche Skelettreiter spawnen! Sie sind so grimmig, dass ich kaum über sie schreiben kann, ohne mich irgendwo verkriechen zu wollen.

> *Trotz ihres gruseligen Aussehens sind Skelettpferde für sich genommen harmlos – höchstens ein bisschen zugig um die Beine. Aber wenn du während eines Gewitters (oder auch danach) ein einsames Skelettpferd entdeckst, könnte es eine Falle sein. Kommst du ihm zu nahe, erscheinen nämlich gleich vier Skelettreiter. Ja, VIER. An dieser Stelle würde ich sonst etwas total Mutiges sagen, aber diese Monster sind so furchteinflößend, dass mir die Worte fehlen.*

LEBENSRAUM

Wo immer du dich in der Oberwelt aufhältst, besteht eine kleine Chance, dass ein Skelettpferd spawnt, wenn während eines Gewitters ein Blitz auf dem Boden einschlägt. Kommst du der Kreatur zu nahe, wird es durch vier berittene Skelette ersetzt. Besiegst du die Skelette, bleiben die Pferde zurück – und sind sofort zahm.

Alle Oberwelt-Biome

BEOBACHTUNGEN: Wenn du dich schon darauf freust, dein zahmes Skelettpferd zu füttern, muss ich dich enttäuschen – sie fressen nie.

SCHON GEWUSST? Das Pferd selbst verhält sich neutral, aber der Reiter wird dich angreifen. Zudem spawnt er immer mit Helm, sodass er nicht in der Sonne verbrennt. Aaaah!

■ *Blitzartig entstehen aus einem Skelettpferd vier Skelettreiter ...*

Jeder Skelettreiter spawnt mit verzaubertem Bogen und Helm, die er manchmal droppt, wenn du ihn besiegst.

Hast du das Skelett erledigt, bleibt das Pferd zurück. Es ist sofort zahm, falls du es reiten willst.

GRÖSSENTABELLE

Skelettpferde gehören zu den schnellsten Landkreaturen der Oberwelt. Und du kannst sie unter Wasser reiten! Untote Pferde müssen nämlich nicht atmen ... du aber schon!

SPIELER

SPINNENREITER

Wenn eine Spinne oder Höhlenspinne angsteinflößend ist, dann ist ein Spinnenreiter ein Albtraum! Das können Skelette, Streuner und sogar Witherskelette sein – drei Monster, die schon ohne das Krabbeltier gefährlich genug sind und zu zweit auch noch schneller! Wer Angst vor Spinnen hat, sollte weiterlesen, um mehr über diese gefährliche Kombo zu lernen – auch wenn es schwer zu verdauen ist.

> *Wenigstens sind Hühnerreiter zur Hälfte niedlich! Ein Monster auf dem Rücken eines Monsters hingegen bringt nur Ärger. Wie das eine Mal, als ich vor einer Spinne zurückgeschreckt und in ihrem Netz gelandet bin. Spinnen sind flink und erreichen dich fast überall, denn sie können an Wänden hochkrabbeln – wovon auch der Spinnenreiter profitiert. Einmal ist vor meinen Augen sogar ein Babyzombie auf den Rücken einer Spinne gesprungen! Aber es gibt auch gute Nachrichten: Mein Teil des Buchs ist fast fertig – ich kann also endlich aufhören, Mut vorzutäuschen, und mich von all den fiesen Mobs fernhalten.*

LEBENSRAUM

Spinnen kommen überall in der Oberwelt vor, außer im Pilzland und im Tiefen Dunkel. Manchmal spawnen sie mit einem Skelett auf dem Rücken; Babyzombies können auf bereits gespawnte aufsteigen. In verschneiten Biomen spawnen manchmal Spinnen mit Streunern als Reiter.

Fast alle
Oberwelt-Biome

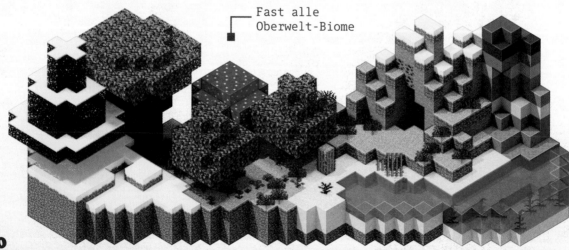

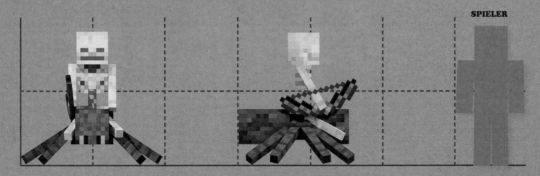

Wie das Skelett auf die Mauer kam? Auf dem Rücken einer Spinne!

Monster, die auf Spinnen reiten, behalten ihre jeweiligen Fähigkeiten und Vorteile, was sie zu noch gefährlicheren Gegnern macht.

Spinnen können an Wänden hochklettern, was bedeutet, auch ihre Reiter profitieren davon. Wenn du also dachtest, eine glatte Felswand könnte dich retten, hast du dich geschnitten.

Zum Glück spawnen Spinnenreiter nicht besonders oft. Sie gehören zu den seltensten Mobs in diesem Buch.

GRÖSSENTABELLE

SPIELER

61

DÖRFER

HrrHrrh! Hrrrh? Hrrh Hrrh. Ups, tut mir leid – ich versuche gerade, die Sprache der Dorfbewohner zu lernen, aber bin noch nicht weit gekommen. Mein Name ist Dr. Dora Siedelgut, und ich heiße dich herzlich willkommen in meinem Abschnitt dieses Buchs. Ich will ehrlich sein – ich bin ein *bisschen* besessen von den Dörfern der Oberwelt. Ich reise von einem zum nächsten, handele mit den Bewohnern, bewundere ihre Häuser und frage höflich, wo ich mich verstecken kann, wenn ein Raubzugkommando naht. Dorfbewohner sind nämlich ausnehmend gastfreundlich! Genau deshalb möchte ich dich warnen: Im folgenden Abschnitt herrscht nämlich nicht nur friedliches Dorfidyll. Ich werde dir leider auch Plünderer, Illager und andere Schurken vorstellen – aber es gehört nun einmal zu meiner Aufgabe als Wissenschaftlerin, auch die Gefahren zu katalogisieren und dich vorzuwarnen. Lass uns loslegen!

DORFBEWOHNER

Nachdem du tagelang gegen Creeper, Skelette und die leise Ahnung gekämpft hast, dass die Oberwelt dich nicht leiden kann, ist es immer schön, in einem Dorf auf Gastfreundschaft zu stoßen. Die Bewohner schwatzen gern miteinander – allerdings in einer Sprache, die wir nicht verstehen. Trotzdem bist du immer willkommen ... aber Vorsicht vor Überfällen!

Ich liebe es, mit Dorfbewohnern zu handeln. Das kann sich richtig lohnen, weshalb ich immer einen Haufen Smaragde mit mir herumtrage. Oft bieten Dorfbewohner nützliche Sachen zum Verkauf an! Aber es gibt auch andere gute Gründe, ein Dorf zu besuchen – zum Beispiel, wenn du auf der Suche nach einem sicheren Schlafplatz bist ... okay, und um ihre Truhen nach nützlichen Gegenständen zu durchforsten. Ich vermute, ihre Hrrhs bedeuten so viel wie ‚Bedien' dich!' Ein Glück, denn als Dorf-Forscherin ist mein Gehalt nicht gerade üppig, weshalb ich mir hin und wieder ... ähem, etwas borge. Das finden sie sicher okay.

LEBENSRAUM

Dörfer spawnen auf Ebenen, Sonnenblumenebenen, verschneiten Ebenen sowie in der verschneiten Taiga, der Savanne, der Taiga, auf Almen und in der Wüste. Dorfbewohner sind unschwer zu erkennen, wobei ihr Äußeres von ihrem Beruf und dem Biom abhängt, in dem ihr Dorf steht.

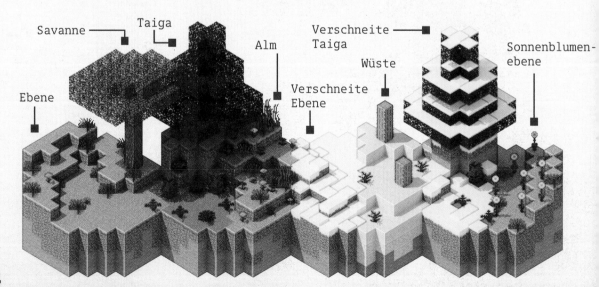

■ *Diese beiden schauen ganz verliebt. Wie süß!*

Mob-Notizen

BEOBACHTUNGEN: Bei Gewitter ist Vorsicht angesagt! Wird ein Dorfbewohner vom Blitz getroffen, verwandelt er sich in eine Hexe.

SCHON GEWUSST? Gehst du siegreich aus einem Raubzug hervor, bieten dir Dorfbewohnerkinder manchmal Geschenke wie Mohnblumen oder Weizenkörner an.

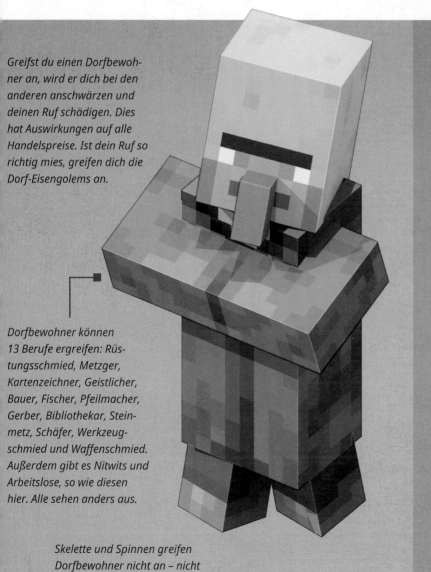

Greifst du einen Dorfbewohner an, wird er dich bei den anderen anschwärzen und deinen Ruf schädigen. Dies hat Auswirkungen auf alle Handelspreise. Ist dein Ruf so richtig mies, greifen dich die Dorf-Eisengolems an.

Dorfbewohner können 13 Berufe ergreifen: Rüstungsschmied, Metzger, Kartenzeichner, Geistlicher, Bauer, Fischer, Pfeilmacher, Gerber, Bibliothekar, Steinmetz, Schäfer, Werkzeugschmied und Waffenschmied. Außerdem gibt es Nitwits und Arbeitslose, so wie diesen hier. Alle sehen anders aus.

Skelette und Spinnen greifen Dorfbewohner nicht an – nicht einmal, wenn es dunkel wird.

GRÖSSENTABELLE

AUS-GEWACHSEN

KIND

SPIELER

KATZE

Wusstest du, dass in Dörfern die meisten Katzen vorkommen? Aber die unerschrockenen Samtpfoten bleiben nicht unbedingt dort. Sie streifen durch die Oberwelt und nähern sich jedem, der rohen Lachs oder Kabeljau in der Hand hält. Zähme eine, um eine süße Gefährtin zu gewinnen – und eine ausgezeichnete Leibwache gegen Creeper und Phantome.

Als professionelle Dorfforscherin muss ich einen kühlen Kopf bewahren und darf mich nicht von süßen Kreaturen ablenken lassen ... aber jetzt mal ehrlich, gegen diese entzückenden Fellnasen ist doch fast jeder wehrlos. Sie geben hervorragende Haustiere ab, und ihr Miauen ist eine willkommene Abwechslung inmitten all der Hrrhs und Hrrms. (Nicht, dass ich mich beschwere, liebe Dorfbewohner – bitte werft mich nicht raus!) Ein Inventar voller rohem Fisch macht aus dir zwar die wohl miefigste Kreatur der Oberwelt, aber dafür hast du jederzeit einen Snack für eine Katze dabei.. Okay, ich kann mich nicht bremsen ... Miez, miez, komm her, kleines Kätzchen ...

LEBENSRAUM

Katzen spawnen vor allem in Dörfern, aber auch in Sumpfhütten – wobei Letztere kein ungefährlicher Ort sind. Sie beherbergen manchmal eine schwarze Katze, aber fast immer eine Hexe, also sei auf der Hut!

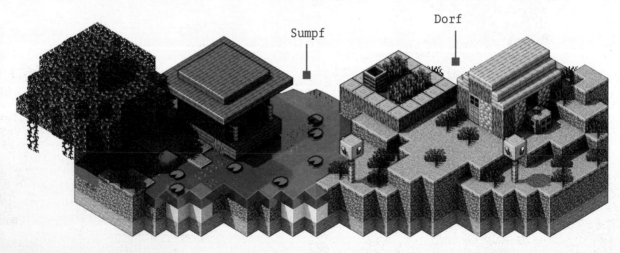

Sumpf

Dorf

Mob-Notizen

BEOBACHTUNGEN: Überraschenderweise fürchten sich zwei der mächtigsten und angsteinflößendsten Monster vor Katzen: Creeper und Phantome. Eine zahme Katze in der Nähe ist also empfehlenswert.

SCHON GEWUSST? In allen Oberwelt-Dörfern lebt je eine Katze pro vier belegte Betten.

■ *Vielleicht überlässt uns die Hexe ihre Katze, wenn wir sie lieb bitten?*

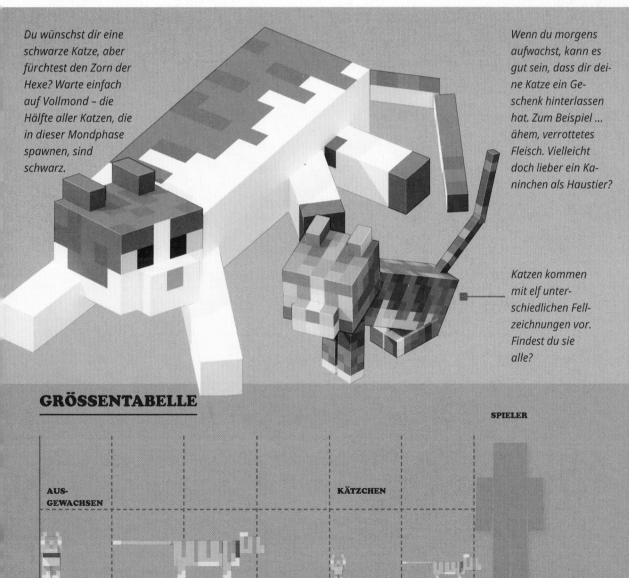

Du wünschst dir eine schwarze Katze, aber fürchtest den Zorn der Hexe? Warte einfach auf Vollmond – die Hälfte aller Katzen, die in dieser Mondphase spawnen, sind schwarz.

Wenn du morgens aufwachst, kann es gut sein, dass dir deine Katze ein Geschenk hinterlassen hat. Zum Beispiel ... ähem, verrottetes Fleisch. Vielleicht doch lieber ein Kaninchen als Haustier?

Katzen kommen mit elf unterschiedlichen Fellzeichnungen vor. Findest du sie alle?

GRÖSSENTABELLE

SPIELER

AUS-
GEWACHSEN

KÄTZCHEN

EISENGOLEM

Du brauchst einen Bodyguard? Wie wäre es mit einem unheimlich beeindruckenden wandelnden Berg aus Eisen? Diese wundersamen Metallriesen sind so etwas wie die Polizei der Oberwelt-Dörfer. Aber sie haben auch eine sanfte Seite, denn manchmal bieten sie ihren Freunden Mohnblumen an. Oh, für mich? Vielen Dank!

Einen eigenen Leibwächter bauen? Super Idee! Diese Kreaturen gehören zu den seltenen, die du selbst herstellen kannst. Du brauchst nur vier Eisenblöcke und einen geschnitzten Kürbis – fertig ist der eiserne Beschützer. Wer würde dazu Nein sagen? Ich fühle mich jedenfalls viel sicherer, wenn während meiner Besuche ein starker Gefährte durch die Dörfer der Oberwelt streift. Allerdings solltest du dich in ihrer Gegenwart immer freundlich gegenüber Dorfbewohnern verhalten. Ich gehe davon aus, dass du ihnen nie absichtlich schaden würdest – tust du es doch, wenn auch versehentlich, bekommst du es mit dem Dorfgolem zu tun!

LEBENSRAUM

Eisengolems kommen in Dörfern natürlich vor und beschützen deren friedliche Bevölkerung. Außerdem spawnen sie in Plünderer-Außenposten – allerdings unter viel traurigeren Umständen, nämlich gefangen in Käfigen aus Schwarzeiche. Lässt du einen frei, steht er dir im Kampf gegen die fiesen Plünderer bei. Stark!

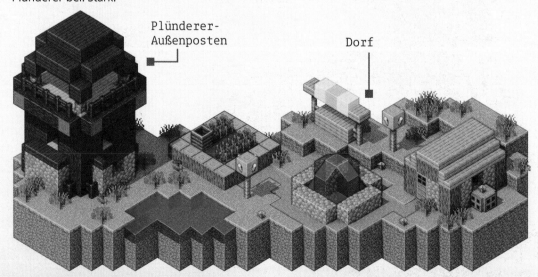

Plünderer-Außenposten

Dorf

■ *Ein Golem bietet einem Dorfbewohnerkind eine Mohn-blume an. Wie lieb!*

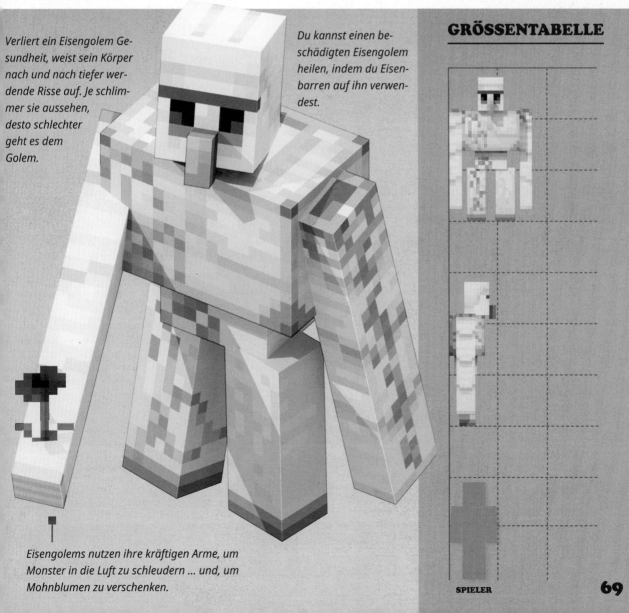

Verliert ein Eisengolem Ge-sundheit, weist sein Körper nach und nach tiefer wer-dende Risse auf. Je schlim-mer sie aussehen, desto schlechter geht es dem Golem.

Du kannst einen be-schädigten Eisengolem heilen, indem du Eisen-barren auf ihn verwen-dest.

GRÖSSENTABELLE

Eisengolems nutzen ihre kräftigen Arme, um Monster in die Luft zu schleudern ... und, um Mohnblumen zu verschenken.

WANDERNDER HÄNDLER

Dieser mysteriöse Händler mit der blauen Robe und den zwei Lamas erscheint überall in der Oberwelt wie aus dem Nichts. Aber keine Sorge, er will dir nichts Böses ... nur deine Smaragde! Wandernde Händler streifen durch die Biome und bieten Abenteuersuchenden nützliche Waren an. Sprich ruhig einen an – wer weiß, vielleicht findest du ja etwas, das du schon lange suchst.

> *Ich verlasse meine geliebten Siedlungen nur ungern – insbesondere, weil ich aktuell die wissenschaftlichen Vorteile des Ausschlafens erforsche. Wenn ich doch einmal das Nachbardorf besuche, begegnen mir oft wandernde Händler, die mir schon mehr als einmal aus der Patsche geholfen haben. Sie verkaufen allerlei Waren, darunter Fisch, Färbemittel, Pflanzen und ... ähm, Sand (Danke?). Manchmal erspart dir das sogar eine gefährliche Erkundungsreise in ferne Biome. Was perfekt ist, denn meine Bett-Studie ist noch lange nicht abgeschlossen!*

LEBENSRAUM

Wandernde Händler spawnen überall in der Oberwelt, du musst also kein spezielles Biom finden. Erkunde einfach nach Herzenslust – früher oder später wirst du einem begegnen. Vielleicht sogar in der Nähe deines Spawnpunkts! Und wenn du mit dem Handeln nicht warten willst, such dir einfach ein Dorf. Die dortigen Bewohner freuen sich mindestens genauso über deine Smaragde!

Alle Oberwelt-Biome

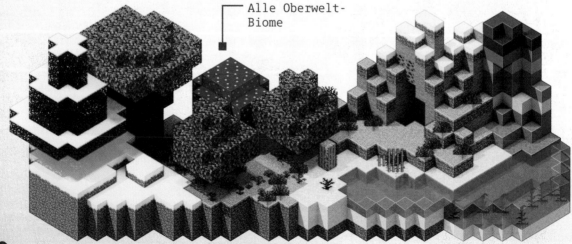

■ Du würdest dich auch sicher fühlen, wenn du zwei
Lama-Leibwächter dabeihättest.

Mob-Notizen

BEOBACHTUNGEN: Schadest du einem wandernden Händler, wenn auch nur versehentlich, bespucken dich seine Lamas!
SCHON GEWUSST? War ein wandernder Händler gerade dabei, einen Milcheimer oder einen Trank zu leeren, wenn er besiegt wird, lässt er diesen fallen.

Wandernde Händler sehen zwar aus wie Dorfbewohner, aber im Gegensatz zu ihnen streifen sie durch die gesamte Oberwelt.

Manchmal hörst du wandernde Händler, aber kannst sie nicht sehen. Das liegt daran, dass sie bei Sonnenuntergang oder wenn sie angegriffen werden, einen Trank der Unsichtbarkeit zu sich nehmen. Clever!

GRÖSSENTABELLE

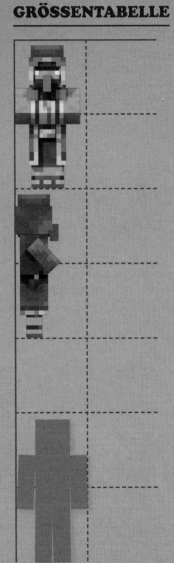

Die Lamas eines wandernden Händlers
sind leider unverkäuflich. Schade
eigentlich!

LAMA
& HÄNDLERLAMA

Ein Tier, das selbst mit einem alten Teppich auf dem Rücken süß aussieht ...? Kein Wunder, dass Lamas beliebt bei Abenteuersuchenden sind. Wenn du dir eine kunterbunte Transportmöglichkeit von Biom zu Biom wünschst, sind sie perfekt! Aber sei lieb zu ihnen, sonst erhältst du eine kostenlose (und schmerzhafte) Gesichtswäsche.

Ein Lama mit einem Teppich auf dem Rücken ist süß, aber wenn ich mir einen umhänge, werde ich schief angeguckt. Unfair! Apropos, diese charmanten Tiere können alle Teppiche tragen – meine Favoriten sind die mit Enderman-, bzw. Creeper-Look – aber sei vorsichtig, wenn du sie damit ausrüstest. Ein falscher Klick und du verbringst den Rest des Tages damit, vor ihrem Spuck-Angriff zu flüchten!

LEBENSRAUM

Wenn du ein Lama zähmen willst, suchst du dir am besten eine Savanne, eine Savannenhochebene oder eine zerzauste Savanne (zerzauste Hügel mögen sie auch). Händlerlamas sind einzigartig und spawnen nur mit wandernden Händlern.

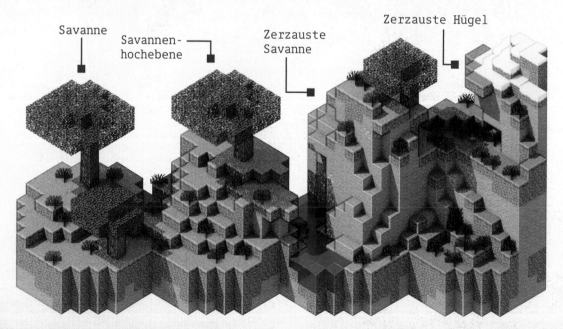

Savanne

Savannen-
hochebene

Zerzauste
Savanne

Zerzauste Hügel

Ein Lama bespuckt einen Wolf. Igitt!

Mob-Notizen

BEOBACHTUNGEN: Lamas sind überraschend mutig und greifen sogar Wölfe an, die ihnen zu nahe kommen.

SCHON GEWUSST? Je nach Ausrüstung droppen Lamas Leder sowie Teppiche und Truhen samt Inhalt.

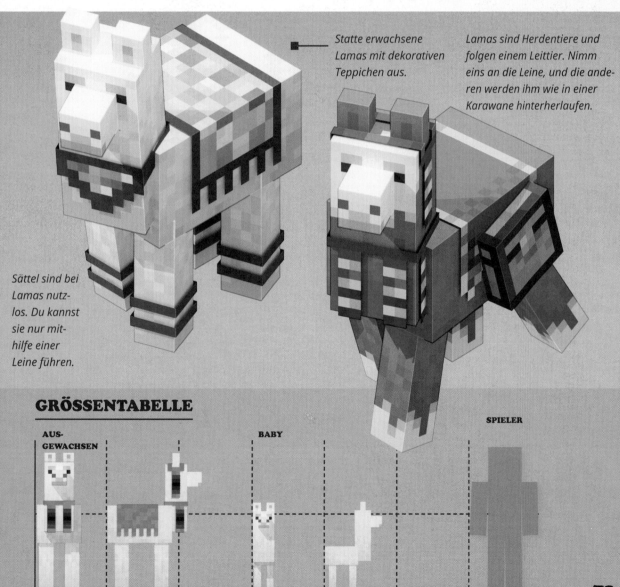

Statte erwachsene Lamas mit dekorativen Teppichen aus.

Lamas sind Herdentiere und folgen einem Leittier. Nimm eins an die Leine, und die anderen werden ihm wie in einer Karawane hinterherlaufen.

Sättel sind bei Lamas nutzlos. Du kannst sie nur mithilfe einer Leine führen.

GRÖSSENTABELLE

AUSGEWACHSEN

BABY

SPIELER

HILFSGEIST

Die putzigen himmelblauen, tanzversessenen Hilfsgeister sind absolut entzückend! Sie mögen Notenblöcke, apportieren, was immer du ihnen gibst, und verbreiten Frohsinn, wo immer sie auftauchen! Die schlechte Nachricht? Nun, du musst einen der gruseligsten Orte der Oberwelt aufsuchen, um sie aufzuspüren.

> Diese Kreaturen sind fantastisch! Gib ihnen einen Gegenstand und warte ab, denn bald kehren sie mit mehreren Exemplaren deines Gegenstands zurück! Einmal habe ich einem ein Stück verrottetes Fleisch gegeben, und kurz darauf hatte ich haufenweise davon! (Okay, blödes Beispiel.) Ihre Tanzwut ist legendär – wirf einen Plattenspieler an! Die Winzlinge stellen sogar MEINE Moves in den Schatten! Wie bitte? Du findest, ich kann nicht tanzen? Wundere dich nicht, wenn dir mein Hilfsgeist verrottetes Fleisch bringt, wenn du das nächste Mal zum Essen vorbeikommst ...

LEBENSRAUM

Plünderer-Außenposten sind zweifellos gefährlich, aber wenn du dich hinwagst, könntest du in einem Käfig Hilfsgeister finden. Nimm ein solides Werkzeug mit, um Kleinholz aus dem Käfig zu machen (immer sinnvoll, wenn du einen Außenposten erkundest!), und lass sie frei. Auch in den Gefängniszellen der schwer aufzuspürenden Waldanwesen hocken manchmal Hilfsgeister. Warum sie eingesperrt sind? Vielleicht, weil sie verboten süß sind!

Plünderer-Außenposten

Waldanwesen

■ *Sieh nur, wie er tanzt! Und ganz ohne Beine! Wirklich beeindruckend.*

Mob-Notizen

BEOBACHTUNGEN: Die armen Kerlchen werden oft von Plünderern gefangen gehalten. Befreie sie aus dem Käfig, wenn du einen siehst!

SCHON GEWUSST? Hilfsgeister droppen nichts, wenn sie sterben, und sind natürlich nur lebendig supernützlich!

Ein Hilfsgeist sucht die Gegend ständig nach Gegenständen ab. Perfekt für Faulpelze! Ähem, womit natürlich NIEMAND andeuten will, DU seist ein Faulpelz!

Dank der grellen Farbe der Hilfsgeister kann man sie im Dunkeln sehr gut sehen, und das, obwohl von ihnen keinerlei Licht ausgeht. Erstaunlich!

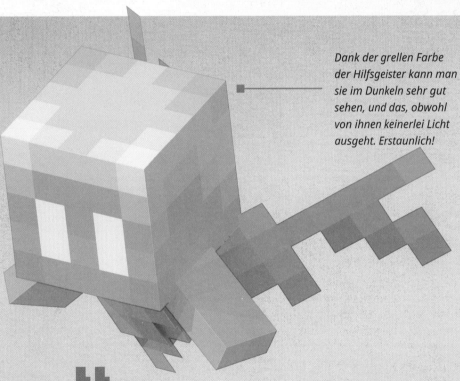

Mit einer Amethystscherbe kannst du Hilfsgeister duplizieren! Gib einem eine Scherbe, während er tanzt, woraufhin er sie erklingen lässt, und ein zweiter Hilfsgeist spawnt!

GRÖSSENTABELLE

Hilfsgeister sind selten, aber leicht zu finden. Ihre Farbe hebt sich fast überall von der Landschaft ab.

SPIELER

PLÜNDERER

Plünderer wollen dir nur Böses und sind die finsteren Gegenstücke zu den freundlichen Dorfbewohnern. Bewaffnet mit einer Armbrust (sehr gefährlich!) und dunkelgrauer Haut (okay, die nicht), greifen sie an, sobald sie dich sehen. Es liegt an dir, die Dörfer vor diesen Fieslingen zu beschützen und ... Hey, wo willst du hin? Komm sofort zurück und beschütze MICH!

> *Ich war todmüde und wollte mich gerade schlafen legen, als ich plötzlich den Klang eines Horns vernahm, dicht gefolgt von einer Glocke. ,Juhu, Mittagspause!', frohlockte ich, aber als ich nach draußen kam, empfing mich das blanke Chaos ... ein Raubzug! Plünderer strömten ins Dorf und schossen auf mich! Echt uncool, denn ich bin mir fast sicher, dass ich allergisch gegen Pfeile bin! Ich schnappte mir ein Schwert und schlug zurück. Als der Spuk vorbei war, verliehen mir die Dorfbewohner den Titel ,Dorfheld'. Kannst du dir das vorstellen? Ich, eine Heldin!*

LEBENSRAUM

Plünderer spawnen in Plünderer-Außenposten, die in allen Biomen vorkommen, wo es Dörfer gibt (Ebene, Sonnenblumenebene, verschneite Ebene, verschneite Taiga, Savanne, Taiga, Alm und Wüste). Als wäre das nicht schlimm genug, tauchen sie außerdem in Berghainen, verschneiten Hängen, vereisten, zerklüfteten und steinigen Gipfeln sowie Kirschberghainen auf.

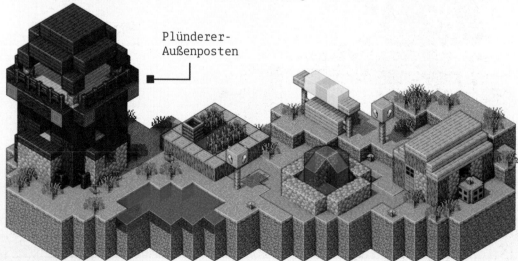

Plünderer-
Außenposten

■ Das ist ein Räuberhauptmann mit dem typischen Banner auf der Schulter.

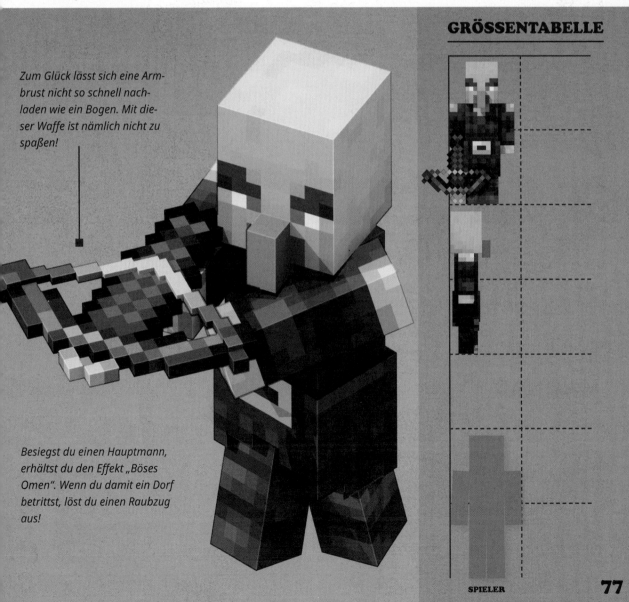

GRÖSSENTABELLE

Zum Glück lässt sich eine Armbrust nicht so schnell nachladen wie ein Bogen. Mit dieser Waffe ist nämlich nicht zu spaßen!

Besiegst du einen Hauptmann, erhältst du den Effekt „Böses Omen". Wenn du damit ein Dorf betrittst, löst du einen Raubzug aus!

VERWÜSTER

Illager-Bestie. Grimmige Kuh. Rücksichtsloser Trampel. Das sind nur ein paar der Spitznamen, mit denen Abenteuersuchende diese Wesen betitelt haben (wobei sich nur wenige trauen, ihnen das ins Gesicht zu sagen). Illager nutzen diese Bestien auf Raubzügen als Reittiere. Die wohl unangenehmsten Tiere der Oberwelt? Mag sein, aber ins Gesicht sag ich ihnen das nicht.

———————————————— ■ ————————————————

Hast du je ein Dorf vor einem Raubzug verteidigt? Echt angsteinflößend, oder? Gegen die Plünderer habe ich wenigstens eine Chance (jedenfalls meistens), aber Verwüster sind eine ganz andere Gewichtsklasse – buchstäblich! Sie rammen dich mit ihrem gewaltigen Dickschädel, sodass du bis zu fünf Blöcke weit fliegst! Aber sie greifen nicht nur uns an, sondern auch Eisengolems, wandernde Händler und erwachsene Dorfbewohner. Nett von ihnen, dass sie die Kinder verschonen, aber mir ist es trotzdem lieber, wenn sie meine freundlichen Gastgeber ganz in Frieden lassen!

LEBENSRAUM

Verwüster tauchen nur bei Raubzügen auf. Wenn du einen sehen willst, musst du den „Böses Omen"-Effekt haben und ein Dorf betreten. Die gibt's auf Ebenen, Sonnenblumenebenen, verschneiten Ebenen, in Wüsten, Taigas, verschneiten Taigas, Savannen und auf Almen. Hast du einen Raubzug ausgelöst, musst du ihn bis zur dritten Welle überleben, um einen Verwüster zu Gesicht zu bekommen.

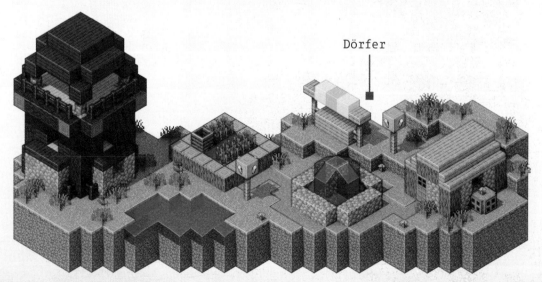

Dörfer

■ *Schlechte Neuigkeiten im Doppelpack!*

Mob-Notizen

HAT ANGST VOR: Gar nichts! Verwüster scheuen sich nicht davor, alles über den Haufen zu rennen, was ihnen im Weg ist – dich eingeschlossen!

DROPS: Diese aggressiven Bestien sind harte Brocken. Besiegst du trotzdem eine, hinterlässt sie einen Sattel.

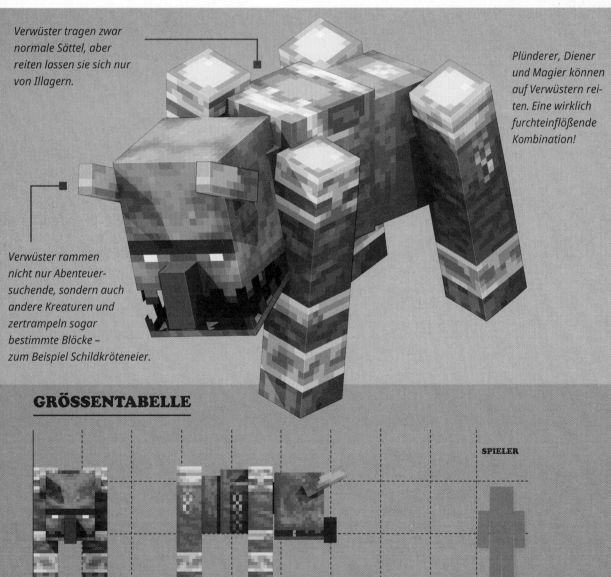

Verwüster tragen zwar normale Sättel, aber reiten lassen sie sich nur von Illagern.

Plünderer, Diener und Magier können auf Verwüstern reiten. Eine wirklich furchteinflößende Kombination!

Verwüster rammen nicht nur Abenteuersuchende, sondern auch andere Kreaturen und zertrampeln sogar bestimmte Blöcke – zum Beispiel Schildkröteneier.

GRÖSSENTABELLE

SPIELER

MAGIER & PLAGEGEIST

Genau wie Dorfbewohner sieht man Magier meist mit verschränkten Armen – aber aus viel finstereren Gründen. Sie verbergen nämlich ein paar fiese Asse im Ärmel! Magier sind in der Lage, Fangzähne aus dem Boden schnellen zu lassen, die nach dir schnappen. Außerdem beschwören sie Plagegeister – kleine fliegende, mit Klingen bewaffnete Biester, die an Hilfsgeister erinnern, aber das genaue Gegenteil sind!

Bevor ich anfing, die Dörfer der Oberwelt zu erkunden, hatte ich Magie nie mit eigenen Augen gesehen. Leider kümmert es den Magier wenig, ob du auf diesem Gebiet ein Neuling oder ein alter Hase bist, denn er setzt sie schamlos gegen alles und jeden ein. Plagegeister sind sogar noch gefährlicher ... wie ich feststellen musste, als ich einen aus der Nähe beobachten wollte. Ich meine, ich bin doch echt nett, oder? Fändest du es nicht auch viel schöner, von einem angenehmen Abend mit einem guten Buch zu lesen, als davon, wie mich ein Plagegeist angriff, untermalt vom gemeinen Kichern eines Magiers? Nein? Na toll ...

LEBENSRAUM

Magier spawnen in Waldanwesen und während Raubzügen ab Welle fünf. Waldanwesen sind selten und kommen nur in dichten Wäldern vor. Sie sind nichts für Leute mit schwachen Nerven, aber der einzige andere Ort, an dem Magier und Plagegeister existieren. Schluck!

Dichter Wald

■ *Den Fangzahn-Angriff eines Magiers betrachtet man lieber auf einem Foto als live und in Farbe!*

Mob-Notizen

DROPS: Besiegte Magier können ein Totem der Unsterblichkeit, ein unheilvolles Banner oder einen Smaragd hinterlassen.
SCHON GEWUSST? Nur Magier sind in der Lage, Plagegeister zu beschwören, also halte dich lieber von ihnen fern ... es sei denn, du WILLST einen sehen.

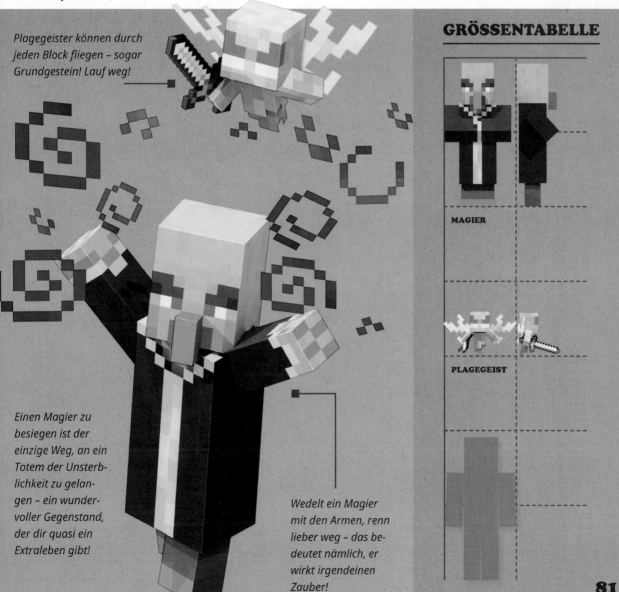

Plagegeister können durch jeden Block fliegen – sogar Grundgestein! Lauf weg!

Einen Magier zu besiegen ist der einzige Weg, an ein Totem der Unsterblichkeit zu gelangen – ein wundervoller Gegenstand, der dir quasi ein Extraleben gibt!

Wedelt ein Magier mit den Armen, renn lieber weg – das bedeutet nämlich, er wirkt irgendeinen Zauber!

GRÖSSENTABELLE

MAGIER

PLAGEGEIST

DIENER

Wenn jemand mit erhobener Axt auf dich zurennt, ist das selten ein gutes Zeichen – so auch bei Dienern, die leider nicht gekommen sind, um dir beim Bäumefällen zu helfen. Sie sind die stärksten Illager und in der Lage, Holztüren einzuschlagen – es wird dir also nicht viel bringen, dich im Haus irgendeines armen Dorfbewohners zu verkriechen. Zieh dein Schwert und wehre dich!

> Verkriechen bringt also nichts gegen Diener. REIN GAR NICHTS. Brrr.
> Diener spawnen meist in den späten (deutlich schwereren) Raubzug-
> Wellen und – als wäre das nicht schlimm genug – manchmal auf dem
> Rücken eines Verwüsters. Also ICH spawne NIE auf einem solchen Un-
> getüm. Okay, eigentlich will ich das auch gar nicht, denn vor denen
> habe ich viel zu viel Angst. Gegen Diener setzt du am besten Pfeile oder
> Wurftränke ein. Kurz gesagt so ziemlich alles, was diese axtschwingen-
> den Grimmbolzen auf Abstand hält!

LEBENSRAUM

Diener spawnen während Raubzügen und in Waldanwesen (seltene Gebäude, die nur in dichten Wäldern generiert werden). Sei besonders vorsichtig, wenn du eins erkundest – drinnen ist es dunkel, und die Diener sind blitzschnell!

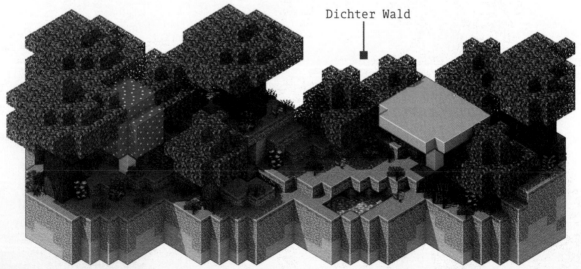

Dichter Wald

■ Schnell, tu etwas, bevor sie dem armen Dorfbewohner
schaden können!

Mob-Notizen

VERHALTEN: Diener sind furchtlos. Sie greifen
ohne zu zögern Mobs an, die doppelt so groß
sind wie sie – zum Beispiel Eisengolems.
DROPS: Besiegte Diener doppen Smaragde
sowie ein unheilvolles Banner, wenn sie als
Hauptmann spawnen, mal auch eiserne Rüstungsteile, -waffen und verzauberte Bücher.

Von allen Illagern sind Diener die Einzigen, die
voll auf den Nahkampf fokussiert sind.

Wenn ein Plünderer einen
Diener versehentlich mit
der Armbrust erwischt,
wendet sich der Diener
gegen ihn. Trickse sie aus
und bringe sie dazu, sich
gegenseitig anzugreifen!

Diener gehen nicht, sie rennen. Was super wäre, wenn
sie vor dir weg- anstatt auf dich zulaufen würden.

GRÖSSENTABELLE

ZOMBIEDORFBEWOHNER

Normale Zombies sind schon tragische Figuren, aber einen armen Dorfbewohner zu sehen, der dazu verdammt ist, hirn- und ziellos durch die Oberwelt zu stolpern? Ich könnte heulen. Die gute Nachricht ist, dass sie Zombies zwar im Verhalten ähneln, ihr Gebrechen jedoch heilbar ist! Also trockne deine Tränen und befreie sie von ihrem Untotendasein!

> *Letztens freute ich mich gerade auf einen entspannten Abend im Dorf, als es von einer Zombiebelagerung heimgesucht wurde. Zum Glück konnten wir alle Angreifer auslöschen, aber meinem Nachbarn schien es danach sehr schlecht zu gehen – er war ganz grün um die Nase geworden. Außerdem stöhnte er die ganze Zeit, als leide er schreckliche Schmerzen. Ich brauchte eine Weile, ehe mir klar wurde, dass er sich verwandelt hatte! Zum Glück habe ich immer goldene Äpfel dabei. In Kombination mit einem Schwächetrank wirken sie Wunder gegen Zombie... ähm ...ismus und ich konnte ihn heilen. Juhu! Jetzt stöhnt er zum Glück nicht mehr.*

LEBENSRAUM

Mit Ausnahme des Pilzlands und dem Tiefen Dunkel kommen Zombies überall in der Oberwelt vor. Entsteht eine Gruppe, besteht die geringe Chance, dass einer davon als Zombie-Dorfbewohner spawnt. Zu mehreren kommen sie außerdem in verlassenen Dörfern vor, die wiederum überall dort generiert werden, wo es normale Dörfer gibt. Greift ein Zombie einen Dorfbewohner an, verwandelt sich dieser manchmal in einen Zombie, anstatt zu sterben. Gruselig!

Fast alle Oberwelt-Biome

Mob-Notizen

BEOBACHTUNGEN: Sie mögen furchteinflößend sein, aber Zombie-Dorfbewohner können mit Schwächetränken und goldenen Äpfeln geheilt ... oder mit Schwert und Bogen
besiegt werden.
DROPS: Meist verrottetes Fleisch, manchmal
auch Eisenbarren, Karotten oder Kartoffeln.

■ Auf dem Foto mag dieses Kind niedlich erscheinen,
aber lass es nicht zu nahe kommen.

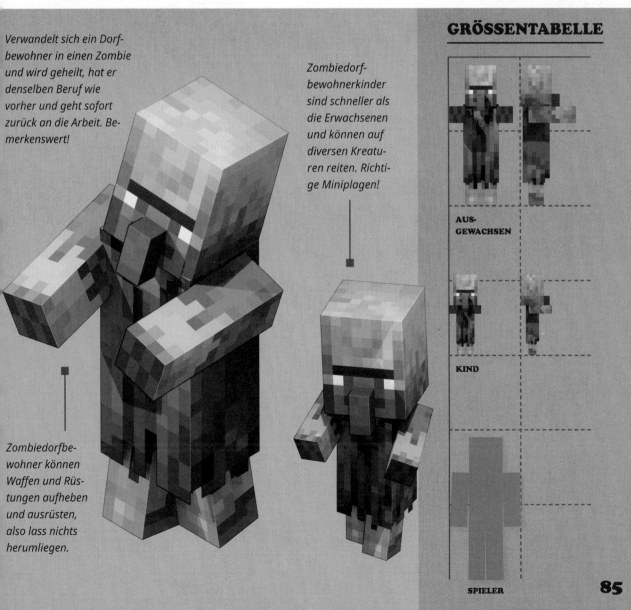

Verwandelt sich ein Dorf-
bewohner in einen Zombie
und wird geheilt, hat er
denselben Beruf wie
vorher und geht sofort
zurück an die Arbeit. Be-
merkenswert!

Zombiedorf-
bewohnerkinder
sind schneller als
die Erwachsenen
und können auf
diversen Kreatu-
ren reiten. Richti-
ge Miniplagen!

Zombiedorfbe-
wohner können
Waffen und Rüs-
tungen aufheben
und ausrüsten,
also lass nichts
herumliegen.

GRÖSSENTABELLE

AUS-
GEWACHSEN

KIND

SPIELER

85

HEXE

Aus irgendeinem Grund tragen ausgerechnet ein paar der fiesesten Mobs von ganz Minecraft die schicksten Hüte! Hexen sind Meisterinnen der Tränke. Leider nutzen sie ihr Talent nur für Böses und bewerfen unbedarfte Abenteuersuchende zu gern mit giftgefüllten Fläschchen. Halte dich von ihnen fern oder schlage mit eigenen Tränken zurück!

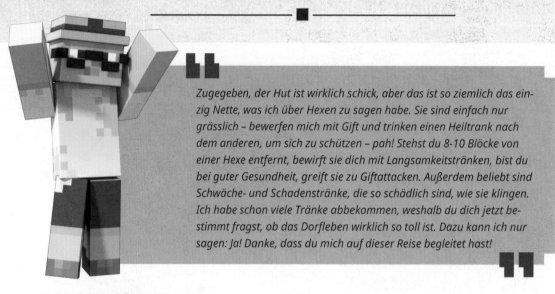

Zugegeben, der Hut ist wirklich schick, aber das ist so ziemlich das einzig Nette, was ich über Hexen zu sagen habe. Sie sind einfach nur grässlich – bewerfen mich mit Gift und trinken einen Heiltrank nach dem anderen, um sich zu schützen – pah! Stehst du 8-10 Blöcke von einer Hexe entfernt, bewirft sie dich mit Langsamkeitstränken, bist du bei guter Gesundheit, greift sie zu Giftattacken. Außerdem beliebt sind Schwäche- und Schadenstränke, die so schädlich sind, wie sie klingen. Ich habe schon viele Tränke abbekommen, weshalb du dich jetzt bestimmt fragst, ob das Dorfleben wirklich so toll ist. Dazu kann ich nur sagen: Ja! Danke, dass du mich auf dieser Reise begleitet hast!

LEBENSRAUM

Hexen spawnen nachts in allen Oberwelt-Biomen, außer im Pilzland und im Tiefen Dunkel, sowie bei niedrigem Lichtlevel wie in Höhlen. Außerdem mischen sie bei Raubzügen mit. Dorfbewohner, die von Blitzen getroffen werden, verwandeln sich in Hexen. Auch in Sümpfen triffst du oft Hexen an, denn sie spawnen in Sumpfhütten.

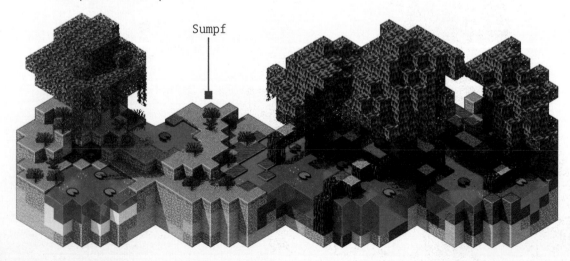

Sumpf

■ *Warum werfen sie nicht zur Abwechslung mit Heil- oder Wellnessträngen? Gemeinheit!*

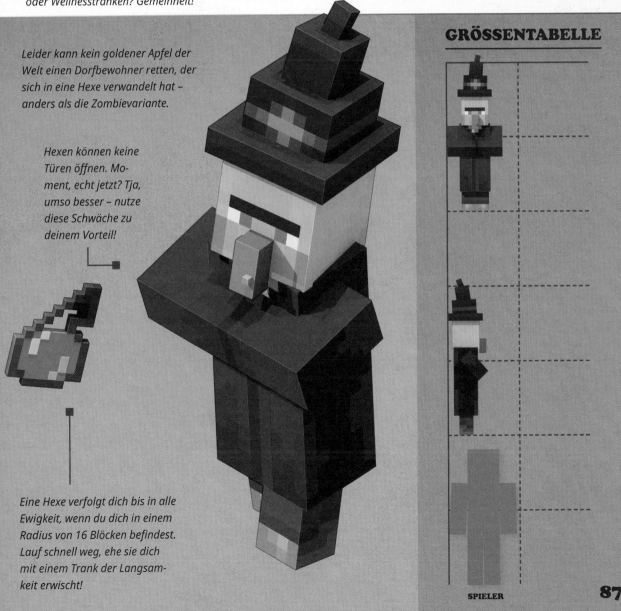

Leider kann kein goldener Apfel der Welt einen Dorfbewohner retten, der sich in eine Hexe verwandelt hat – anders als die Zombievariante.

Hexen können keine Türen öffnen. Moment, echt jetzt? Tja, umso besser – nutze diese Schwäche zu deinem Vorteil!

Eine Hexe verfolgt dich bis in alle Ewigkeit, wenn du dich in einem Radius von 16 Blöcken befindest. Lauf schnell weg, ehe sie dich mit einem Trank der Langsamkeit erwischt!

GRÖSSENTABELLE

EXTREM-REISENDE

Hallöchen, Bodenvolk! Oh, tut mir leid, ich wollte nicht unhöflich sein. So nennen wir Bergbewohner euch dort unten im Tal. Du musst wissen, ich komme aus einem Dorf in den Bergen und konnte schon klettern, bevor ich sprechen gelernt habe! Auf Partys bin ich trotzdem nicht gerade der Hit, aber die gibt's auf Berggipfeln sowieso eher selten. Übrigens liebe ich nicht nur luftige Höhen, sondern auch die tiefsten Abgründe der Oberwelt!

Also schlüpf in deine Kletterschuhe, pack die Spitzhacke ein und begleite mich, Heidi Gipf, auf ein großes Abenteuer!

FLEDERMAUS

Höhlenratten mit Flügeln? Keineswegs! Fledermäuse wollen dir nichts Böses. Diese missverstandenen Kreaturen sind völlig passiv. Wenn sie nicht gerade an einer Höhlendecke hängen, flattern sie quiekend durch die Gegend. Fledermäuse mögen nicht die niedlichsten Tiere der Oberwelt sein und werden dir manchmal einen gehörigen Schrecken einjagen, aber sie sind harmlos, und ohne sie wären Höhlen einfach nicht dasselbe!

> Ich treibe mich nicht nur auf verschneiten Gipfeln herum, sondern erforsche auch gern Berghöhlen. Vor allem, weil ich dort auf Fledermäuse treffe – die LIEBE ich nämlich! Sie sind klein, quieken so süß ... und fliegen manchmal versehentlich in Lavafälle. Ich finde, ohne diese kleinen Flattertiere würden die Höhlen der Oberwelt viel von ihrem gruseligen Charme verlieren. Manche Leute halten mich für komisch, weil ich Fledermäuse mag ... und weil ich einen 6000-Seiten-Roman mit dem Titel ‚FLEDERMÄUSE SIND SUPERCOOL' geschrieben habe. Okay, stimmt schon.

LEBENSRAUM

Du wirst Spitzhacke und Schaufel bemühen und dich in die Unterwelt begeben müssen, wenn du Fledermäuse sehen willst, denn sie spawnen überall im stockfinsteren Untergrund – also vor allem in Höhlen. Wage dich in die Dunkelheit, und du wirst bald eine umherflattern sehen.

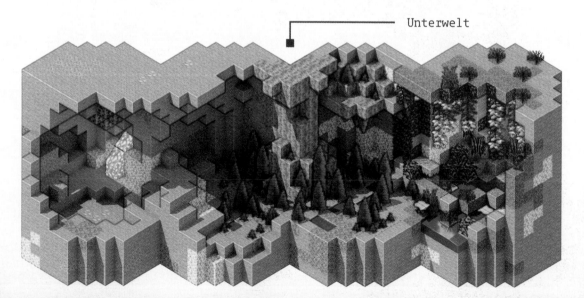

Unterwelt

■ *Eine Fledermaus, die an einem Block hängt.*
Bau ihn nicht ab!

Aus unbekannten Gründen fliegen Fledermäuse meist ostwärts. Diese seltsame Tatsache kannst du ausnutzen, falls du dich einmal verirrst.

Fledermäuse fliehen vor dir, selbst wenn du einen Trank der Unsichtbarkeit getrunken hast.

Das Quieken einer besiegten Fledermaus klingt besonders dramatisch. Armes Ding!

GRÖSSENTABELLE

Sie sind kleiner als die meisten Minecraft-Mobs, aber erscheinen mit gespreizten Flügeln oft größer.

SPIELER

FUCHS

Diese orangefarbenen oder weißen Tiere sind bei allen beliebt. Na ja, außer du bist ein Huhn. Oder hast eine Hühnerfarm. Oder bist allgemein froh, wenn es allen Hühnern gutgeht. Und Schildkröten und Kaninchen ... Abgesehen von ihrer Vorliebe für diese Beutetiere sind Füchse aber echt cool. Allerdings musst du über Adleraugen verfügen, wenn du eins der scheuen Tiere aufspüren willst.

> *Ich bin oft in der verschneiten Taiga, denn dort gibt es weiße Füchse! Sie spawnen nur in Schnee-Biomen, und ich finde sie einfach wundervoll. Manchmal beobachte ich sie beim Anschleichen und Springen. Oft bleiben sie dabei mit dem Kopf im Schnee stecken und schütteln sich, um sich zu befreien (ich warte IMMER ab, bis sie frei sind!). Weiße Füchse haben im Gegensatz zu ihren rötlichen Kollegen eine Vorliebe für Fisch und sind im Schnee besonders gut getarnt. Das heißt aber nicht, dass Rotfüchse leicht zu finden sind – auch die sind nämlich ziemlich selten.*

LEBENSRAUM

Weiße Füchse spawnen in der verschneiten Taiga, orangefarbene in der Taiga, Urtaiga und auf Berghainen. Am besten, du baust deine Hühnerfarm nicht gerade in diesen Biomen ... oder dein Schildkrötengehege. Wenn du Glück hast, entdeckst du einen Fuchs zwischen den hohen Fichten auf Beutejagd.

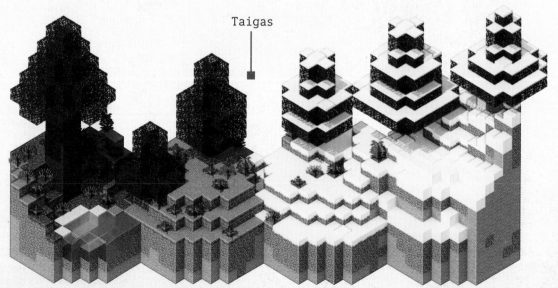

Taigas

■ *Füchse setzen eine einzigartige Jagdmethode ein –*
den Sprungangriff.

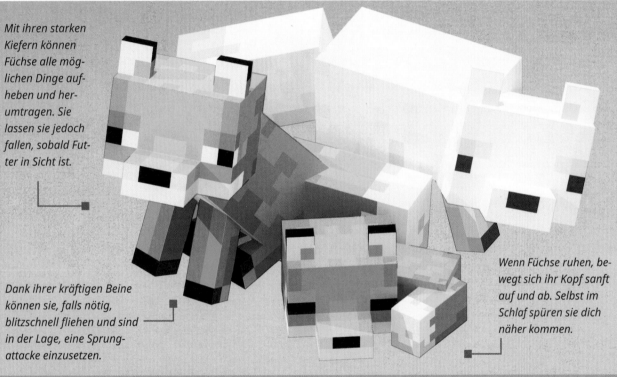

Mit ihren starken Kiefern können Füchse alle möglichen Dinge aufheben und herumtragen. Sie lassen sie jedoch fallen, sobald Futter in Sicht ist.

Dank ihrer kräftigen Beine können sie, falls nötig, blitzschnell fliehen und sind in der Lage, eine Sprungattacke einzusetzen.

Wenn Füchse ruhen, bewegt sich ihr Kopf sanft auf und ab. Selbst im Schlaf spüren sie dich näher kommen.

GRÖSSENTABELLE

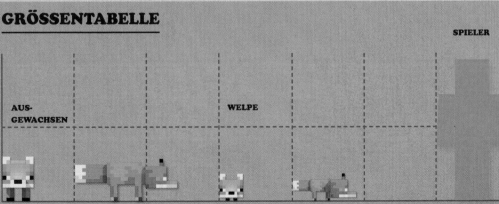

SPIELER

AUS-
GEWACHSEN

WELPE

EISBÄR

Ü berlege es dir gut, bevor du dich mit einem Eisbärenbaby anlegst – besser gesagt, seiner Mutter. Wenn dir dein Leben lieb ist, halte gebührenden Abstand. Ein Eisbär mag flauschig und gemütlich aussehen, aber er greift jeden an, der seinem Jungen zu nahe kommt. Ich weiß, diese Warnung ist natürlich unbegründet! Wer dieses Buch liest, würde nie ein Eisbärenbaby angreifen ... oder?

■

Ich würde lieber meine Kapuze essen, als ein Eisbärenjunges zu verletzen, und war mir ganz sicher, die Bären wüssten das ... Also zog ich los, um ihren Lebensraum zu erforschen. Blöde Idee! Du brauchst einem erwachsenen Eisbären nur ein BISSCHEN zu nahe zu kommen, und schon stellt r sich auf die Hinterbeine und greift dich mit voller Krallenpower an. Ich wollte doch nur ein Selfie! Ins Wasser fliehen? Fehlanzeige! Eisbären schwimmen nämlich genauso schnell wie du! Zum Glück bin ich entkommen ... sonst könnte ich das hier gar nicht schreiben.

LEBENSRAUM

Eisbären lieben die Kälte und kommen auf verschneiten Ebenen, in der Eiszapfentundra, im vereisten Ozean, der vereisten Tiefsee, auf zerklüfteten Gipfeln und verschneiten Hängen vor. Pass auf, dass du auf all dem Eis nicht ausrutschst, wenn du plötzlich fliehen musst!

```
Fast alle Schnee-
und Eisbiome
└■
```

Mob-Notizen

BEOBACHTUNGEN: Eisbärenbabys sind zwar passiv, aber als Erwachsene werden sie zu neutralen Mobs. Greifst du sie an, verstehen sie keinen Spaß!

DROPS: Du willst bestimmt keinen Eisbären besiegen, aber falls doch – sie droppen rohen Lachs oder Kabeljau. Lecker!

■ Stellt sich ein Eisbär vor dir auf die Hinterbeine, fang schon mal an, dein Grab zu schaufeln.

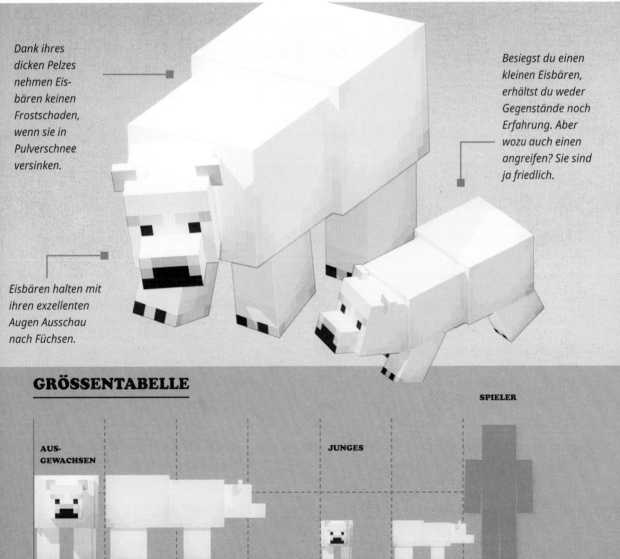

Dank ihres dicken Pelzes nehmen Eisbären keinen Frostschaden, wenn sie in Pulverschnee versinken.

Besiegst du einen kleinen Eisbären, erhältst du weder Gegenstände noch Erfahrung. Aber wozu auch einen angreifen? Sie sind ja friedlich.

Eisbären halten mit ihren exzellenten Augen Ausschau nach Füchsen.

GRÖSSENTABELLE

AUS-
GEWACHSEN

JUNGES

SPIELER

SCHNEEGOLEM

Das Äußere kann täuschen – eine Tatsache, die kaum ein Mob so gut unter Beweis stellt wie der schreckliche Schneegolem ... der alles andere als schrecklich ist! Obwohl die Fratze eines dieser gutmütigen Schneemän-ner selbst der eines Creepers Konkurrenz macht, kann er dein bester Freund werden – und dich sogar beschützen!

"

Du brauchst nur zwei Schneeblöcke und einen (geschnitzten) Kürbis oder eine Kürbislaterne als Kopf. Schichte alles übereinander, und fertig ist der Schneegolem – dein wackerer Beschützer, der Monster mit Schneebällen bewirft. Und zwar, ob du es willst oder nicht, ähem. Leider ist diese Waffe eher schwach – ein Schneeball hat einfach nicht die Wirkung eines Pfeils oder Schwerthiebs –, also greife deinem neuen Freund ruhig unter die Arme. Oder macht einfach eine Schneeballschlacht daraus!

"

LEBENSRAUM

Ein Schneegolem spawnt, wo immer du ihn spawnen lässt. Die dafür not-wendigen Schneeblöcke findest du in der Eiszapfentundra, auf Berghainen, verschneiten Hügeln und zerklüfteten sowie vereisten Gipfeln. Kürbisse kommen in allen Grasbiomen vor und sind nicht schwer zu finden.

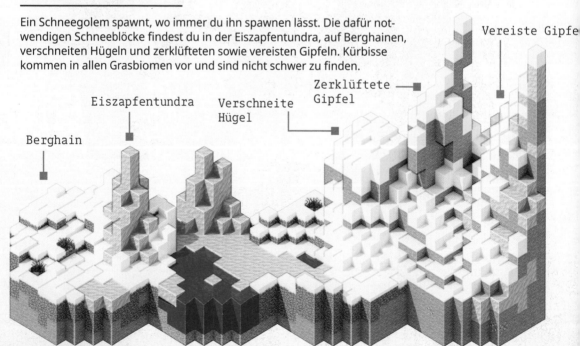

Berghain

Eiszapfentundra

Verschneite Hügel

Zerklüftete Gipfel

Vereiste Gipfel

■ *Sieh nur – so ein freundliches Lächeln! Er ... er lächelt doch, oder ...?*

Mob-Notizen

BEOBACHTUNGEN: Schneegolems wandern ziellos umher, aber umgehen Hindernisse und meiden Umgebungsschaden.

DROPS: Ein besiegter Schneegolem hinterlässt bis zu 15 Schneebälle. Die zu werfen, macht zwar Spaß, aber viel Schaden bewirkst du damit nicht.

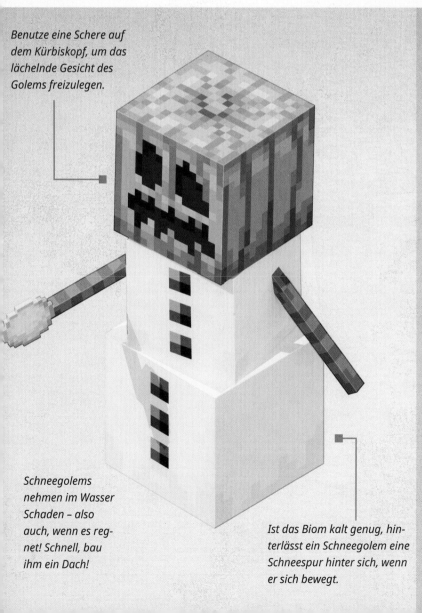

Benutze eine Schere auf dem Kürbiskopf, um das lächelnde Gesicht des Golems freizulegen.

Schneegolems nehmen im Wasser Schaden – also auch, wenn es regnet! Schnell, bau ihm ein Dach!

Ist das Biom kalt genug, hinterlässt ein Schneegolem eine Schneespur hinter sich, wenn er sich bewegt.

GRÖSSENTABELLE

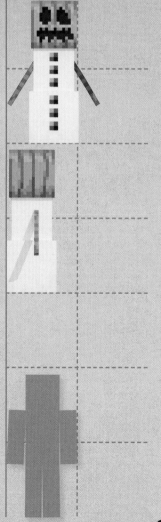

SILBERFISCHCHEN

Warum es so lange dauert, diesen eigenartigen Steinblock abzubauen? Nun, wahrscheinlich bist du auf einen verseuchten Block gestoßen, der ein Silberfischchen freisetzt, wenn du ihn zerstörst. Diese aggressiven Winzlinge sind der Albtraum eines jeden Steinmetzes. Fans von Edelmetallen sollten sich nicht vom Wort „Silber" täuschen lassen, und mit Fischen haben diese Biester auch nichts gemeinsam ... sie wollen dich nur beißen!

> *Igitt! Okay, ich versuche echt, allen Kriechern und Viechern der Oberwelt mit Respekt zu begegnen, aber Silberfischchen machen es einem wirklich nicht leicht. Ich meine, da stehe ich und hacke unschuldig auf einen Stein ein, als plötzlich eins herausspringt und mich angreift! Zugegeben, ich habe gerade sein Haus zerstört, aber trotzdem! Diese Tierchen krabbeln flink auf dich zu, und wenn du dich verteidigst, rufen sie ihre Freunde zu Hilfe! Okay, ich weiß, ich habe in diesem Text ein bisschen ZU viele Ausrufezeichen benutzt, aber komm schon ... bei DEN Biestern ist das verständlich!!!*

LEBENSRAUM

Ein Silberfischchen spawnt, sobald ein verseuchter Block abgebaut wird. Diese kommen in den zerzausten Varianten von Hügeln, Geröllhügeln und Wäldern vor, außerdem auf Almen, Berghainen, verschneiten Hängen sowie auf vereisten, zerklüfteten und steinigen Gipfeln. Darüber hinaus findest du Silberfischchen in Gebäuden wie Waldanwesen, Festungen und Iglus mit Keller.

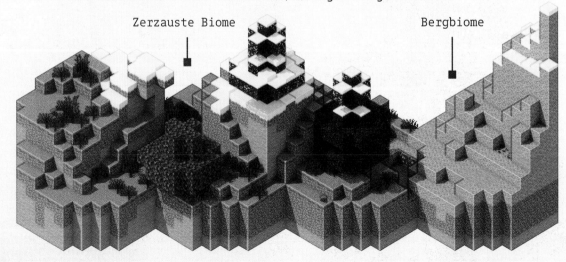

Zerzauste Biome

Bergbiome

■ *Ich habe dir gesagt, sei vorsichtig, Steve!*

Mob-Notizen

BEOBACHTUNGEN: Nimm dich in Silberfisch-chen-Biomen in Acht, die Viecher können dich nämlich durch die Wand sehen! Brr!

SCHON GEWUSST? Silberfischchen hinterlassen nichts, wenn sie besiegt werden. Greifst du eins an, ruft es Artgenossen aus der Nähe zu Hilfe. Uäh!

Untätige Silberfischchen verseuchen Blöcke, wenn sie sich darin verkriechen. Achte also darauf, wirklich alle Krabbler zu erledigen.

Schadest du einem Silberfischchen, aber besiegst es nicht mit dem ersten Hieb, strömen sämtliche Artgenossen aus den umliegenden verseuchten Blöcken auf dich zu! Igitt!

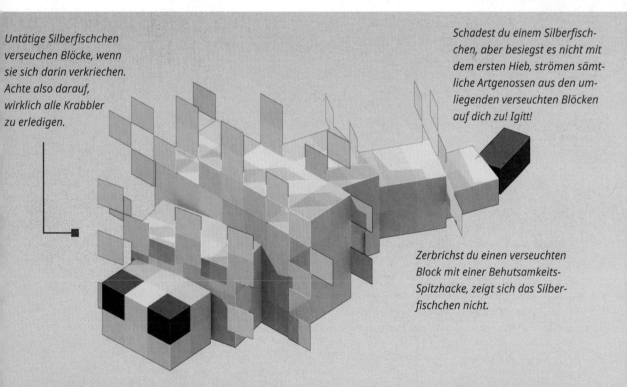

Zerbrichst du einen verseuchten Block mit einer Behutsamkeits-Spitzhacke, zeigt sich das Silberfischchen nicht.

GRÖSSENTABELLE

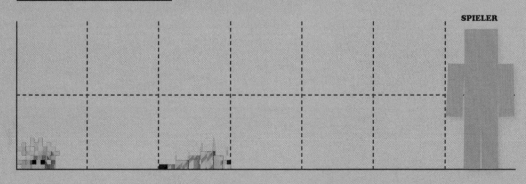

SPIELER

99

SCHLEIM

Ein gruseliger Würfel, den du nicht unterschätzen darfst! Schleime gehören definitiv zu den eigenartigsten Minecraft-Mobs. Sie hüpfen ziellos umher und greifen an, indem sie ihre Feinde anspringen ... zu denen leider auch du gehörst. Aber keine Sorge, sie sind keine schweren Gegner. Nur eins noch: Besiegst du einen großen Schleim, zerteilt er sich in mehrere kleine!

> Bekommst du auch solche Lust auf Trampolinspringen, wenn du einen Schleim siehst? Nein? Nur ich? Okay, auch gut. Schleime können beim Erkunden echt anstrengend sein. Wusstest du, dass sie schwimmen, Leitern erklimmen UND auf Gerüste klettern können? Hartnäckige Hüpfer! Ich meine, SO berühmt bin ich nun auch wieder nicht! Meistens ziehe ich mein Schwert und schlage zurück. Leider zerteilen sich Schleime, wenn sie besiegt werden ... in bis zu VIER Artgenossen! Zwar sind die neuen Schleime kleiner als das Original, aber auch schwerer zu treffen. Jetzt mal ehrlich, warum folgen mir eigentlich nie süße Tiere ... Katzen zum Beispiel? Hmpf.

LEBENSRAUM

Schleime spawnen meist in Sümpfen, und zwar am häufigsten bei Vollmond. Ob sie Werwolf-DNA besitzen? Einen Mondkalender? Oder lieben sie einfach nur den Mond? Ein Mysterium, das wir vielleicht nie entschlüsseln werden ... Mit Ausnahme des Pilzlands und des Tiefen Dunkels spawnen Schleime jedenfalls in allen Oberwelt-Biomen.

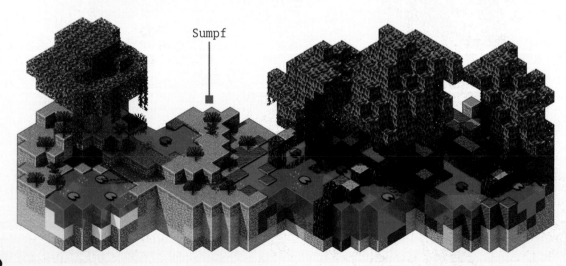

Sumpf

Mob-Notizen

BEOBACHTUNGEN: Sie können zwar echt nerven, aber Schleime sind nicht wirklich gefährlich. Wären sie es doch, würden Frösche sie nicht ohne Weiteres verschlingen.
DROPS: Hast du einen Schleim besiegt, droppt er Schleimbälle zum Herstellen von haftenden Kolben und Magmacreme.

■ *O nein! Ich habe aus einem Gegner drei gemacht!*

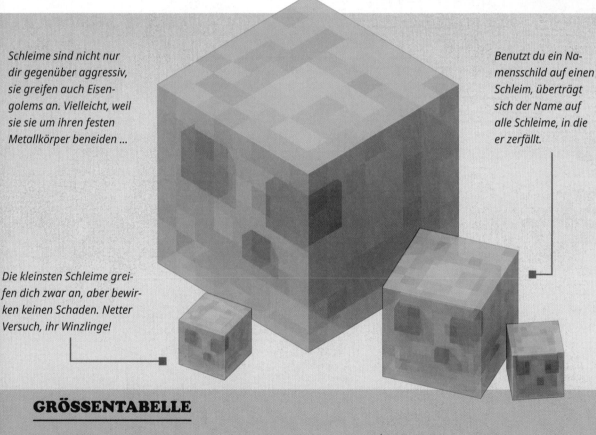

Schleime sind nicht nur dir gegenüber aggressiv, sie greifen auch Eisengolems an. Vielleicht, weil sie sie um ihren festen Metallkörper beneiden ...

Benutzt du ein Namensschild auf einen Schleim, überträgt sich der Name auf alle Schleime, in die er zerfällt.

Die kleinsten Schleime greifen dich zwar an, aber bewirken keinen Schaden. Netter Versuch, ihr Winzlinge!

GRÖSSENTABELLE

GROSS		MITTEL-GROSS	KLEIN		SPIELER

WÜSTENZOMBIE

Zombies sollten eigentlich im Sonnenlicht verbrennen, aber diese Variante hat wohl das Memo nicht gelesen. Wüstenzombies fürchten die Sonne nicht, verfolgen dich Tag und Nacht unerbittlich und sind beim Erkunden in der Wüste gefährliche Gegner. Die Sonne wird dich nicht retten, also denk dir lieber eine neue Strategie gegen diesen Untoten aus. Stöhn ... manchmal ist das Leben echt kompliziert.

—————————— ■ ——————————

Meine Freunde sagen immer, ich soll meinen Horizont erweitern und in Biome vordringen, mit denen ich weniger vertraut bin. Also verbringe ich meinen Urlaub jetzt in der Wüste. Erinnere mich daran, mir neue Freunde zu suchen, wenn ich nach Hause komme ... FALLS ich überlebe, denn in dieser Wüste wimmelt es von Wüstenzombies, die gegen Sonnenschaden immun sind ... während MEINE Haut diese Hitze gar nicht mag. Wusstest du übrigens, dass du einen Mordshunger bekommst, wenn dich ein Wüstenzombie erwischt? Und dass es hier keine anständigen Restaurants gibt?

LEBENSRAUM

Wie die arme Heidi am eigenen Leib erfahren musste – und wie der Name schon sagt – kommen Wüstenzombies nur in Wüsten vor. 70 % aller Zombie-Spawns werden dort zur Wüstenvariante. Wenn du also die Wüste bei Nacht erkunden willst, nimm eine starke Waffe und ausreichend Snacks mit!

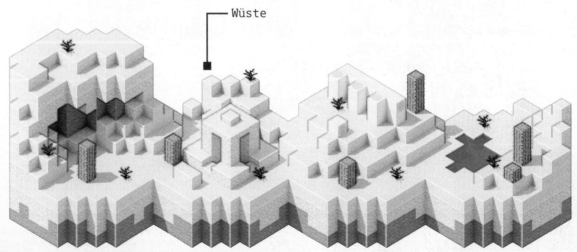

— Wüste

■ *Ein Wüstenzombie aalt sich genießerisch in der Sonne.*

Mob-Notizen

BEOBACHTUNGEN: Wie alle Zombies verfolgt dich auch die Wüstenvariante aus viel größerer Entfernung als alle anderen Monster. Bleib wachsam!

DROPS: Besiegte Wüstenzombies hinterlassen verrottetes Fleisch. Das ist zwar essbar, aber verursacht beim Verzehr einen Hungereffekt.

Sie sehen aus wie normale Zombies – nur ihre Hautfarbe und ihre Kleidung unterscheiden sich und sind an die Wüste angepasst.

Befindet sich ein Wüstenzombie 30 Sekunden unter Wasser, verwandelt er sich in einen normalen Zombie. Erst weitere 30 Sekunden später wird aus ihm ein Ertrunkener. (Aber warum so lange warten? Tauch lieber schnell ab!)

GRÖSSENTABELLE

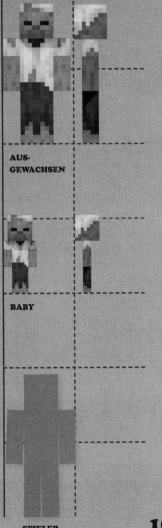

AUS-GEWACHSEN

BABY

SPIELER

HÖHLENSPINNE

Diese kleine Spinnenvariante krabbelt durch enge Höhlengänge und hat schon vielen Abenteuersuchenden einen frühen Gifttod gebracht. Lass dich nicht von ihrer geringeren Größe täuschen – diese Achtbeiner sind viel gefährlicher als normale Spinnen, denn ihre Attacken vergiften dich, und diverse zum Thema befragte Medizinfachkräfte bestätigen: „Gift ist ungesund."

> Okay, unbeliebte Meinung: Ich LIEBE Höhlenspinnen! Ich weiß, das klingt unglaublich, aber es stimmt. Darum kommt mich zu Hause auch niemand mehr besuchen. Also deshalb UND weil ich auf einem Berggipfel wohne. Und weil ich meinen Gästen endlos von den kleinen Krabblern vorschwärme. Hey, ich verstehe das – wer lässt sich schon gern vergiften? Oder mag Spinnennetze und die Geräusche von Beißwerkzeugen? Aber Höhlen wären ohne diese Krabbler einfach nicht dasselbe. Nenn mich ruhig eigenartig, aber ich finde, erst die überall lauernden Gefahren machen die Oberwelt so attraktiv ...

LEBENSRAUM

Höhlenspinnen entstehen nur aus Monsterspawnern in Minen. Die gibt es fast nur tief unter der Erde (mit Ausnahme einer einzigartigen Schwarzeichen-Variante in den Tafelbergen, wo Minen auch oberirdisch spawnen), sodass es ein Weilchen dauern könnte, bis du auf eine Höhlenspinne triffst.

Mine

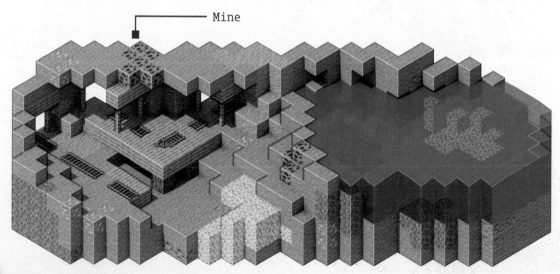

Unser Fototeam hat kurz nach der Aufnahme dieses Bilds gekündigt – verständlich.

Mob-Notizen

BEOBACHTUNGEN: Monsterspawner kommen vielerorts vor – doch nur aus denen in engen Minenschächten spawnen Höhlenspinnen.

DROPS: Wenn sie besiegt werden, droppen Höhlenspinnen Fäden und manchmal Spinnenaugen.

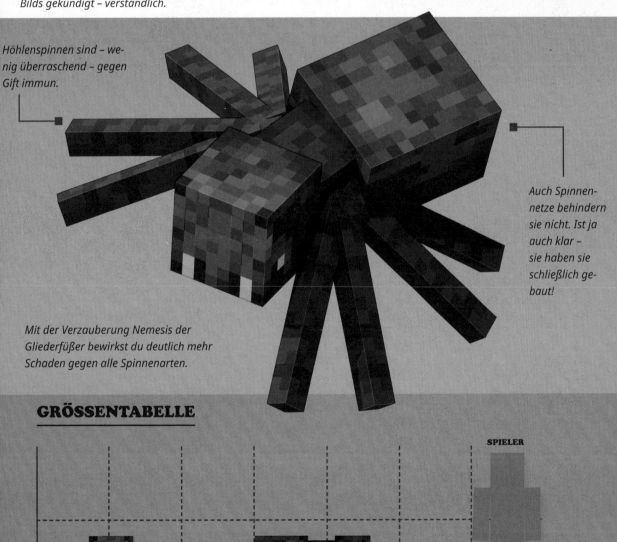

Höhlenspinnen sind – wenig überraschend – gegen Gift immun.

Auch Spinnennetze behindern sie nicht. Ist ja auch klar – sie haben sie schließlich gebaut!

Mit der Verzauberung Nemesis der Gliederfüßer bewirkst du deutlich mehr Schaden gegen alle Spinnenarten.

GRÖSSENTABELLE

SPIELER

STREUNER

Durch die kalten Biome der Oberwelt streift ein Monster in löchrigen Lumpen, die den Blick auf sein Gerippe freigeben. Der Streuner ist eine Skelettvariante, die mit Pfeilen der Langsamkeit schießt. Weiche ihnen aus, sonst wird aus deinem Sprint durch den Schnee schnell ein Gang in Zeitlupe ...

" Wenn dieses Buch von den größten modischen Entgleisungen handeln würde, wären diese Kameraden auf dem Titelbild. Andererseits ist es nicht abwegig, dass sich Kreaturen der Schneebiome etwas überziehen ... wobei ein Haufen löchriger Lumpen schwerlich als wärmende Kleidung durchgeht. Au! Hey, nicht so aggressiv, ich ... bin ... plötzlich so langsam! Richtig, denn Streunerpfeile haben diesen Effekt, der 30 Sekunden anhält. Es klingt nicht lange, aber wenn dir eine Monsterhorde auf den Fersen ist, können Sekunden zwischen Leben und Tod entscheiden. Ähm, Streuner ...? So aus der Nähe betrachtet sehen eure Outfits voll cool aus! So gewagt in ihrer Einfachheit! "

LEBENSRAUM

Streuner spawnen auf verschneiten Ebenen, aber am häufigsten triffst du diese unterkühlten Untoten in Eisbiomen an – genauer gesagt in vereisten Ozeanen, der vereisten Tiefsee, vereisten Flüssen und in der Eiszapfentundra. Diese Orte sind schon ohne diese Monster gefährlich, also sei auf der Hut!

Schnee- und
Eisbiome

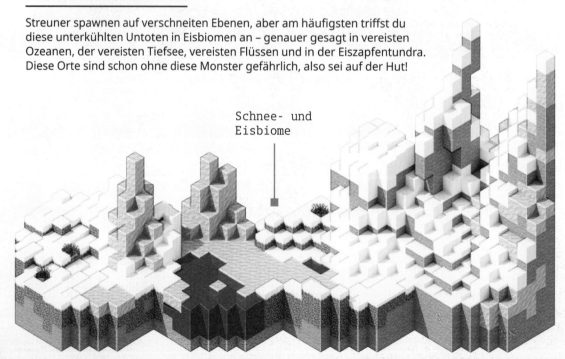

■ *Unser neues Fototeam hat sich bei dieser Aufnahme ein paar Pfeile eingefangen. Ähm, willkommen?*

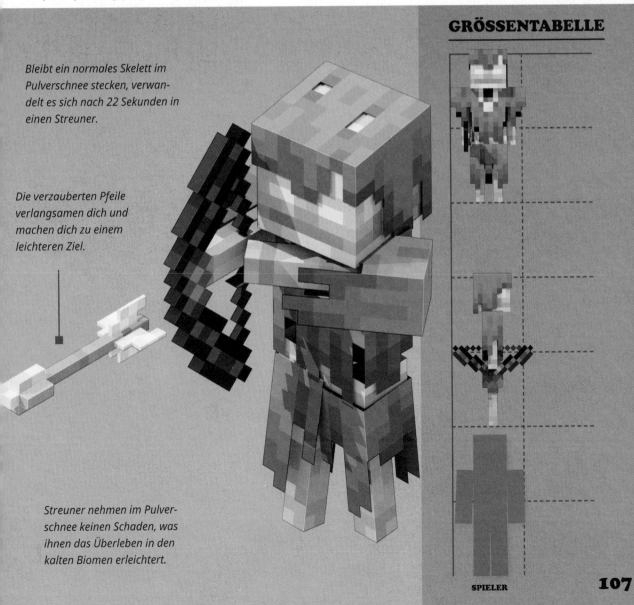

GRÖSSENTABELLE

Bleibt ein normales Skelett im Pulverschnee stecken, verwandelt es sich nach 22 Sekunden in einen Streuner.

Die verzauberten Pfeile verlangsamen dich und machen dich zu einem leichteren Ziel.

Streuner nehmen im Pulverschnee keinen Schaden, was ihnen das Überleben in den kalten Biomen erleichtert.

WÄCHTER

Ein Monstrum, so gefährlich, dass wir dir empfehlen, selbst beim Lesen dieses Artikels eine verzauberte Rüstung anzulegen. Der Wächter bewirkt den höchsten Nahkampfschaden aller Mobs und besitzt die meiste Gesundheit. Als wäre ein Fausthieb dieses Ungetüms nicht schmerzhaft genug, verfügt es auch noch über eine Überschall-Attacke, die Blöcke UND verzauberte Rüstungen durchdringt. Okay, schlechter Ratschlag mit der Rüstung eben. Upsi!

> *Du willst, dass ich etwas sage? Mit meiner STIMME? Über einen blinden Mob mit ausgezeichnetem Gehör, der Lärm VERABSCHEUT?! Na schön, aber ich wittere eine Falle. Ich bin echt nicht der ängstliche Typ, aber mit einem frei herumlaufenden Wächter das Tiefe Dunkel erkunden? Brr ... Der Trick ist, in seiner Nähe mucksmäuschenstill zu sein – kein leichtes Unterfangen, wenn man am liebsten wegrennen würde. Außerdem pfeife und singe ich gern beim Erkunden, was hier unten KEINE gute Idee ist. Oh, da fällt mir ein – ich habe meine letzte Buchseite erreicht. Zeit, mich zu verabschieden ... BIS BAAHALD! Oh-oh ... Das war ein bisschen zu laut.*

LEBENSRAUM

Der Wächter ist der größte Mob im Tiefen Dunkel, einem speziellen Höhlenbiom, das tief im Untergrund vorkommt. Zum Glück gibt es diese Wesen NUR dort. Überall in der tiefen Dunkelheit des ... ähm, Tiefen Dunkels lauern Sculk-Sensoren, die wiederum Sculk-Heuler auslösen, wenn du unvorsichtig bist. Tust du es zu oft, spawnt der Wächter. LAUF!

Tiefes Dunkel

■ Wenn er dich anders nicht erreicht, setzt der Wächter seine tödliche Überschall-Attacke ein. Im Ernst, LAUF!

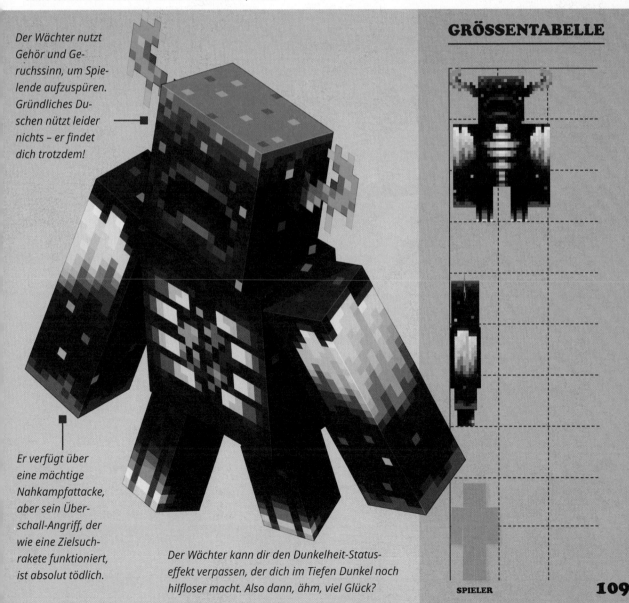

Der Wächter nutzt Gehör und Geruchssinn, um Spielende aufzuspüren. Gründliches Duschen nützt leider nichts – er findet dich trotzdem!

Er verfügt über eine mächtige Nahkampfattacke, aber sein Überschall-Angriff, der wie eine Zielsuchrakete funktioniert, ist absolut tödlich.

Der Wächter kann dir den Dunkelheit-Statuseffekt verpassen, der dich im Tiefen Dunkel noch hilfloser macht. Also dann, ähm, viel Glück?

GRÖSSENTABELLE

WASSER-RATTEN

I ch heiße Riley Wellenflut, deine beste Kontaktperson, wenn es um Tiefsee-Expertise geht. Ich bin an den Stränden der Oberwelt groß geworden und verbringe, seit ich schwimmen kann, jeden wachen Moment mit der Erkundung der Ozeane ... manchmal sogar im Schlaf (bitte nicht nachmachen!). In diesem nassesten Abschnitt des Buchs (bildlich gesprochen – dieses Buch ist NICHT wasserfest!) tummeln sich ein paar der coolsten Kreaturen. Aber Vorsicht – nicht alles Leben im Ozean ist freundlich. Aus Erfahrung weiß ich, dass in den trüben Tiefen Monster lauern, die extrem schnell schwimmen und manchmal mit Dreizacken nach dir werfen! Aber nur keine Sorge – zieh deinen Tauchanzug über und los geht's!

KABELJAU & LACHS

Zwei der am häufigsten in der Oberwelt vorkommenden Fischarten ... und zwei der köstlichsten! Kabeljau und Lachs sind beliebt bei Ozelots und Katzen sowie Abenteuersuchenden, die vor dem Abtauchen vergessen haben, ausreichend Essen einzupacken. Wenn du mit dem Gedanken spielst, eine Katze oder einen Ozelot zu zähmen, halte ein paar rohe Fische bereit.

> *Durch die Ozeane der Oberwelt zu schwimmen, ist anstrengend, und als jemand, der fünf Millionen Kilometer pro Tag schwimmt (grobe Schätzung), esse ich natürlich am liebsten köstlichen Fisch. Einmal unter Wasser wirst du schnell sehen, dass Fische am liebsten in Gruppen – Schulen genannt – unterwegs sind. Kurioses Wort, nicht wahr? Als würde man eine Gruppe Creeper als ,Schleich' bezeichnen. Wie klingt ein ,Müd' Phantome? Oder ein ,Graaa' Endermen? Wow, genial! Ich sollte echt mein eigenes Buch schreiben!*

LEBENSRAUM

Sowohl Kabeljau als auch Lachs sind in den Meeren der Oberwelt weit verbreitet. Sie leben in lauwarmen, kalten, normalen und vereisten Ozeanen sowie deren Tiefsee-Varianten. Lachse spawnen zudem in Flüssen, wenn du also nur nach ihnen suchst (hey, was hast du gegen Kabeljau?), schnapp dir eine Angel und verbringe einen ruhigen Nachmittag am Flussufer.

Fluss (Lachs)

Alle Ozeanbiome
(Kabeljau und Lachs)

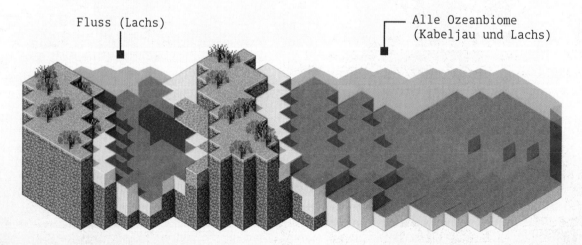

Unser Fototeam wollte nicht nass werden und hat einfach Bilder von Fischen in Eimern gemacht.

Mob-Notizen

BEOBACHTUNGEN: Lachse spawnen in Schwärmen aus bis zu fünf, Kabeljau maximal mit sieben Fischen. Perfekt für eine sättigende Mahlzeit, falls du dich auf hoher See verirrst.

DROPS: Ein Kabeljau hinterlässt rohen Kabeljau, Knochen und sogar Knochenmehl, Lachse nur rohen Lachs oder Knochen.

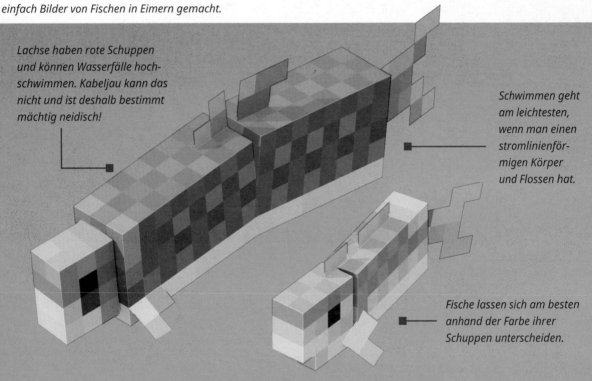

Lachse haben rote Schuppen und können Wasserfälle hochschwimmen. Kabeljau kann das nicht und ist deshalb bestimmt mächtig neidisch!

Schwimmen geht am leichtesten, wenn man einen stromlinienförmigen Körper und Flossen hat.

Fische lassen sich am besten anhand der Farbe ihrer Schuppen unterscheiden.

GRÖSSENTABELLE

SPIELER

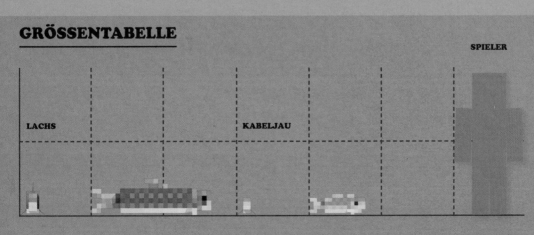

LACHS

KABELJAU

AXOLOTL

Als eindeutige Gewinner der Auszeichnung für den kompliziertesten Namen in ganz Minecraft sind Axolotl zudem starke Kandidaten im Rennen um den Preis für das niedlichste Wassertier, das mit seinen fröhlichen Farbtupfern selbst den langweiligsten Teich aufwertet. Einfach entzückend und sonst nichts, richtig? Hier verbirgt sich kein gefährliches Raubtier hinter einer zuckersüßen Fassade ... oder etwa doch?

> *Ich hatte mich so darauf gefreut, einem Axolotl zu begegnen! Stell dir mein entsetztes Keuchen vor, als ich feststellte, dass sie Abenteuersuchenden gegenüber passiv sind, aber die meisten Wasserbewohner jagen! (Natürlich habe ich nicht wirklich gekeucht – keine gute Idee unter Wasser!) Diese kleinen Racker greifen fast alles an – nur Abenteuersuchende, Schildkröten, Delfine, Frösche und Artgenossen sind vor ihnen sicher. Nicht einmal vor Ertrunkenen schrecken sie zurück!*

LEBENSRAUM

Wenn du einen Axolotl aufspüren willst, such dir am besten eine üppige Höhle. Diese werden meist unter feuchten Biomen wie dichten Wäldern, Dschungeln und bewaldeten Tafelbergen generiert. In Feuchtgebieten wie Urtaigas und Bambusdschungeln ist die Chance auf eine üppige Höhle umso höher. Du findest sie leicht, indem du nach Azaleenbäumen Ausschau hältst, die über den Höhlen an der Oberfläche wachsen.

Üppige Höhle ⌐

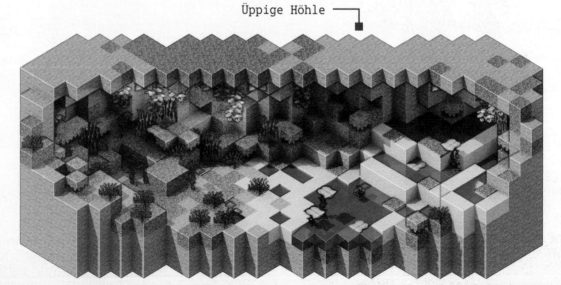

■ *Axolotl sind so mutig! Wir haben bei dieser Aufnahme vor Angst gezittert.*

Mob-Notizen

BEOBACHTUNGEN: Obwohl sie sich meist passiv verhalten, eilen dir Axolotl zu Hilfe, wenn du gegen Wassermonster kämpfst.
SCHON GEWUSST? Nimmt ein Axolotl unter Wasser Schaden, besteht eine kleine Chance, dass er sich tot stellt und auf den Boden sinken lässt. Clevere Taktik!

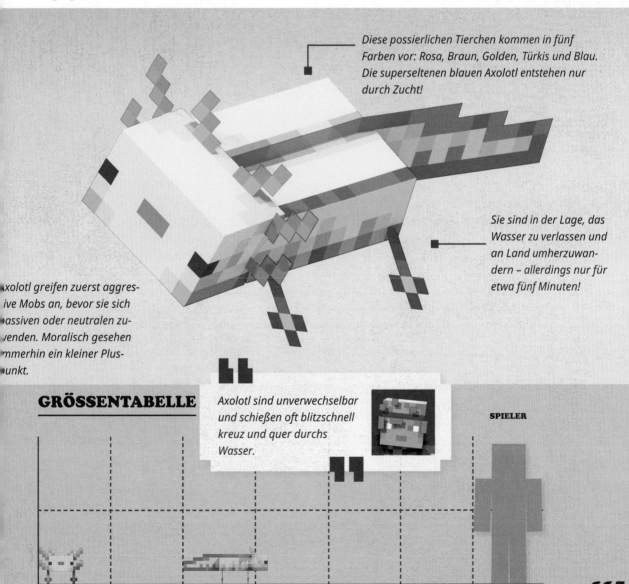

Diese possierlichen Tierchen kommen in fünf Farben vor: Rosa, Braun, Golden, Türkis und Blau. Die superseltenen blauen Axolotl entstehen nur durch Zucht!

Sie sind in der Lage, das Wasser zu verlassen und an Land umherzuwandern – allerdings nur für etwa fünf Minuten!

Axolotl greifen zuerst aggressive Mobs an, bevor sie sich passiven oder neutralen zuwenden. Moralisch gesehen immerhin ein kleiner Pluspunkt.

GRÖSSENTABELLE

Axolotl sind unverwechselbar und schießen oft blitzschnell kreuz und quer durchs Wasser.

SPIELER

MEERESSCHILDKRÖTE

Der wohl schönste Anlass, einen Strand in der Oberwelt aufzusuchen! Schildkröten sind an Land langsam, im Wasser dafür umso flinker. Die friedlichen Reptilien haben eine überraschend große Anzahl natürlicher Feinde – viele Monster greifen sowohl sie als auch ihre Babys und sogar die Eier an. Es liegt an dir, diese wundervollen Kreaturen zu beschützen!

> Wie Meeresschildkröten komme auch ich an Land nur langsam voran und bin im Wasser blitzschnell. Am besten gefällt mir an ihnen, dass sie nie ihren Heimatstrand vergessen. Egal, wo sie in der Oberwelt sind – nach der Paarung kehren sie zum Ort ihrer Schlüpfung zurück, um dort ihre Eier abzulegen. Sie erinnern sich GENAU an ihren Geburtsort ... während ich mich abends oft nicht einmal an mein Frühstück erinnere! Wird eine Babyschildkröte erwachsen, droppt sie eine Hornschuppe. Fünf davon ergeben einen Schildkrötenpanzer, mit dem du unter Wasser länger atmen kannst.

LEBENSRAUM

Meeresschildkröten und ihre Eier findest du an allen Stränden, außer den verschneiten und den Steinvarianten. Außerdem triffst du sie im Wasser an, aber an den sonnigen Stränden der Oberwelt sind sie auffälliger ... und können nicht so schnell vor dir fliehen. Außer natürlich, du bist ECHT langsam.

Strand

Verzieh dich, Zombie! Verzieh dich, haben wir gesagt!

Mob-Notizen

BEOBACHTUNGEN: Es scheint, als hätten es fast alle Mobs auf Schildkröten abgesehen. Sie brauchen Schutz!

DROPS: Schildkröten hinterlassen Seegras und wenn sie vom Blitz erschlagen wurden eine Schüssel. Wird eine Babyschildkröte erwachsen, droppt sie eine Hornschuppe.

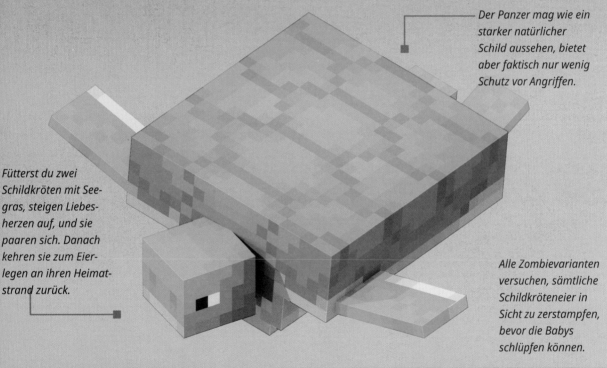

Der Panzer mag wie ein starker natürlicher Schild aussehen, bietet aber faktisch nur wenig Schutz vor Angriffen.

Fütterst du zwei Schildkröten mit Seegras, steigen Liebesherzen auf, und sie paaren sich. Danach kehren sie zum Eierlegen an ihren Heimatstrand zurück.

Alle Zombievarianten versuchen, sämtliche Schildkröteneier in Sicht zu zerstampfen, bevor die Babys schlüpfen können.

GRÖSSENTABELLE

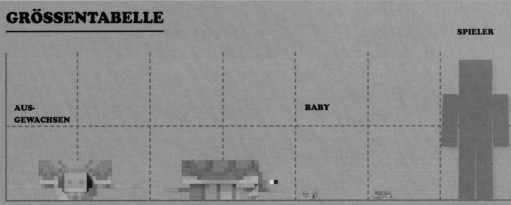

SPIELER

AUS-GEWACHSEN

BABY

TROPENFISCHE

Die tiefen, trüben Gewässer des Ozeans sind wahrscheinlich der letzte Ort, an dem du lebhafte Farben erwartest, aber die zahlreichen kunterbunten Tropenfische belehren dich eines Besseren. Buchstäblich Tausende Varianten tummeln sich in den Meeren der Oberwelt. Du willst sie alle finden? Ähm, viel Glück!

▬▬▬▬▬▬ ■ ▬▬▬▬▬▬

> *Bevor ich die Tropenfische entdeckte, habe ich mir die Unterwasserwelt immer mit einer Kaleidoskop-Brille bunter gemacht. Ich bin so froh, dass ich die nicht mehr brauche! Am meisten gefällt mir an Tropenfischen, dass zwei Schwärme nie genau gleich aussehen ... Okay, das stimmt nicht ganz, aber die Wahrscheinlichkeit ist geradezu astronomisch gering! Das kommt daher, dass es zweiundzwanzig Tropenfisch-Basisvarianten gibt, die alle mit zufälligen Mustern, Größen, Formen und Farben spawnen können – daraus ergeben sich sage und schreibe 2700 verschiedene Arten! Ich habe versucht, alle zu sammeln, aber habe nach 2699 aufgegeben ...*

LEBENSRAUM

Wie der Name schon sagt, mögen Tropenfische keine Kälte, weshalb du sie in warmen und lauwarmen Ozeanen sowie Tiefseebiomen findest. Außerdem kommen sie in üppigen Höhlen vor – keine Überraschung, denn auch dort scheint es angenehm warm zu sein. Tropenfische sind nicht schwer zu entdecken, allerdings kann im trüben Wasser ein Nachtsichttrank hilfreich sein.

Üppige Höhle   Lauwarmer Ozean   Lauwarme Tiefsee   Warmer Ozean

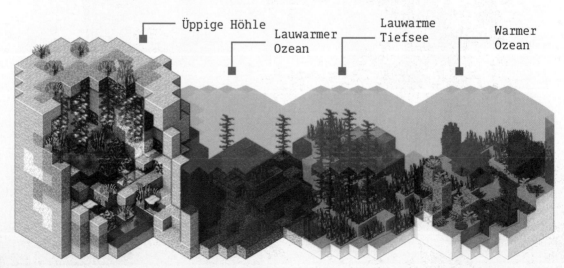

■ *Danke, dass ihr die Meere schöner macht!*

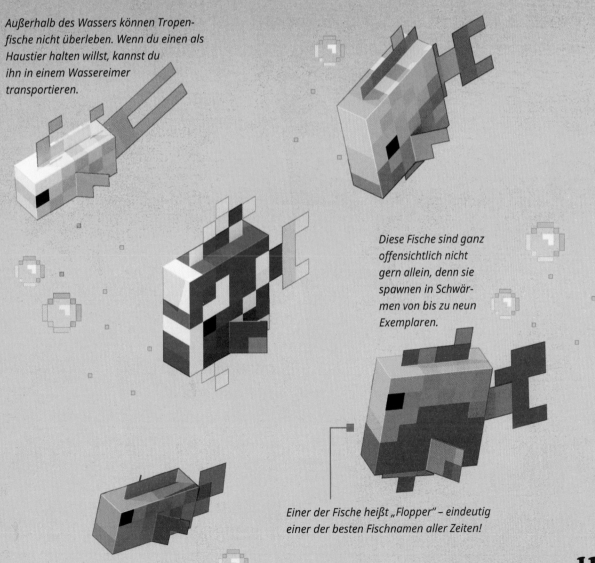

Außerhalb des Wassers können Tropenfische nicht überleben. Wenn du einen als Haustier halten willst, kannst du ihn in einem Wassereimer transportieren.

Diese Fische sind ganz offensichtlich nicht gern allein, denn sie spawnen in Schwärmen von bis zu neun Exemplaren.

Einer der Fische heißt „Flopper" – eindeutig einer der besten Fischnamen aller Zeiten!

FROSCH & KAULQUAPPE

Wie wird aus einer winzigen Kaulquappe nur etwas so Wundervolles (und Nützliches!) wie ein Frosch? Diese fröhlich quakenden Kameraden hüpfen geruhsam durch die Oberwelt und verspeisen mit Vorliebe Schleime. Und obwohl Frösche im Nether nicht natürlich vorkommen, mögen sie auch Magmawürfel – beobachte sie bei ihrer Mahlzeit und bezeuge das leuchtende Ergebnis!

> *Ich finde, Frösche sehen aus, als würden sie permanent grinsen – was mir bei ihrem Speiseplan ehrlich gesagt abwegig vorkommt. Andererseits habe ich noch nie einen Schleim probiert – vielleicht sind die ja superlecker! So oder so sind Frösche fantastische Wesen! Wusstest du, dass sie einen Froschlicht-Block produzieren, wenn sie einen Magmawürfel fressen? Froschlichter sind supercool und gehören zu den hellsten Blöcken im Spiel. Perfekt, um dein Haus zu beleuchten. Das geht zwar auch mit Magmablöcken, aber die sind, tja, brandgefährlich.*

LEBENSRAUM

Frösche kommen in drei Farben vor. Nur orangefarbene spawnen in Sümpfen und Mangrovensümpfen natürlich. Willst du einen weißen oder grünen Frosch, bring Kaulquappen in Wassereimern in ein Biom mit anderen Klimabedingungen und lasse sie dort aufwachsen. Für einen grünen Frosch brauchst du ein Schneebiom wie die verschneite Taiga oder vereiste Gipfel; weiße entstehen nur in warmen Klimazonen wie Dschungeln, Wüsten und Savannen.

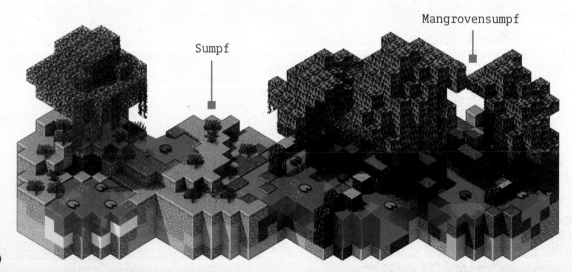

Sumpf

Mangrovensumpf

■ *Hey, lass einen für uns übrig!*

Mob-Notizen

BEOBACHTUNGEN: Wie mutig sind bitte Frösche?! Wer es wagt, einen sengenden Magmawürfel im Ganzen zu verschlingen, fürchtet sich bestimmt vor gar nichts!

SCHON GEWUSST? Frösche können bis zu acht Blöcke hoch springen! Echt beeindruckend, wenn man bedenkt, wie klein sie sind.

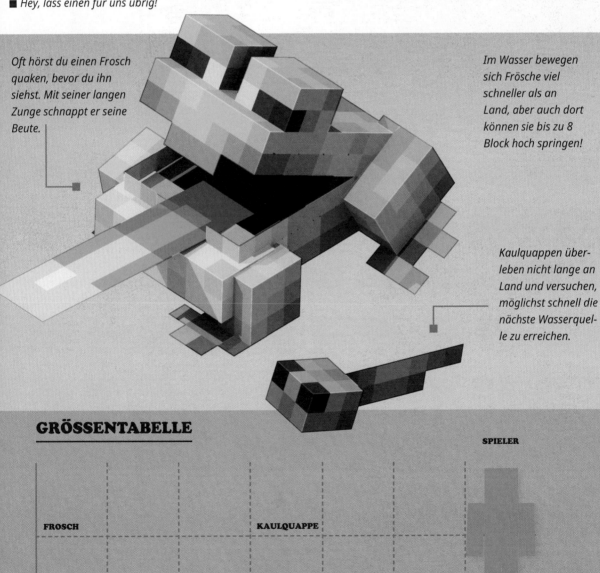

Oft hörst du einen Frosch quaken, bevor du ihn siehst. Mit seiner langen Zunge schnappt er seine Beute.

Im Wasser bewegen sich Frösche viel schneller als an Land, aber auch dort können sie bis zu 8 Block hoch springen!

Kaulquappen überleben nicht lange an Land und versuchen, möglichst schnell die nächste Wasserquelle zu erreichen.

GRÖSSENTABELLE

SPIELER

FROSCH

KAULQUAPPE

DELFIN

Du bist im Boot unterwegs durch die Oberwelt, als dich plötzlich das Gefühl beschleicht, verfolgt zu werden ... von einem munteren Delfin! Diese treuen Seelen lieben das Meer und springen zu gern aus dem Wasser, als wollten sie vorbeikommende Seereisende zum Fotografieren einladen. Schnell, zück deine Kamera!

■

Eine Schatzjagd-Karriere wäre ein Traum! Ich bräuchte nur ein, zwei Schätze und wäre reich genug, um pures Gold zu essen und ... okay, mehr Beispiele fallen mir nicht ein. Aber egal, für all das Gold kaufe ich mir einfach welche! Übrigens, kleiner Tipp: Füttere einen Delfin mit rohem Lachs oder Kabeljau und folge ihm – dann führt er dich nämlich zum nächsten Schiffswrack, vergrabenen Schatz oder zu einer Ozeanruine ... mit anderen Worten, zu einer Truhe! Warum können das nicht alle Kreaturen tun, die man mit Fisch füttert? Als ich letztens Heidi Gipf ein Stück rohen Kabeljau anbot, hat sie mich nicht nur zu keinem Schatz geführt, sondern mir auch noch gesagt, sie will nicht mehr zum Essen vorbeikommen.

LEBENSRAUM

Delfine gibt es in allen Ozeanbiomen außer den kalten, also mach dir nicht die Mühe, dich warm einzupacken und ins Eiswasser zu springen. Am häufigsten begegnest du ihnen ohnehin, wenn du sie nicht suchst – sie finden eher dich! Fahre einfach in einem Boot übers Meer und hab etwas Geduld.

Fast alle
Ozeanbiome

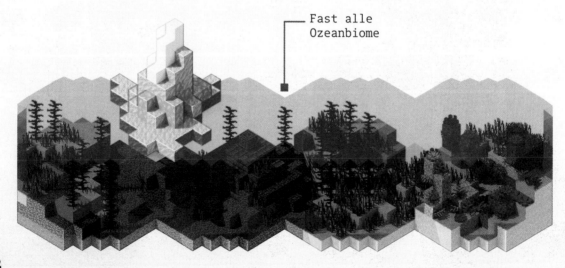

■ Ein springender Delfin ist ein wahrlich majestätischer Anblick.

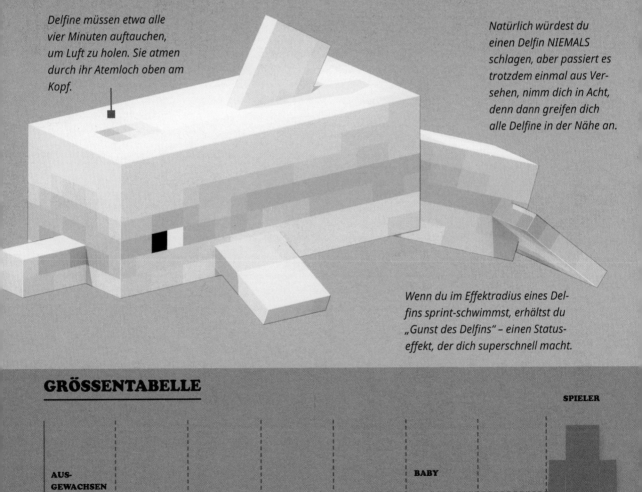

Delfine müssen etwa alle vier Minuten auftauchen, um Luft zu holen. Sie atmen durch ihr Atemloch oben am Kopf.

Natürlich würdest du einen Delfin NIEMALS schlagen, aber passiert es trotzdem einmal aus Versehen, nimm dich in Acht, denn dann greifen dich alle Delfine in der Nähe an.

Wenn du im Effektradius eines Delfins sprint-schwimmst, erhältst du „Gunst des Delfins" – einen Statuseffekt, der dich superschnell macht.

GRÖSSENTABELLE

SPIELER

AUS-
GEWACHSEN

BABY

TINTENFISCH

Der Tintenfisch hätte eine der gefürchtetsten Kreaturen der Ozeane sein können – ein Meeresungeheuer, das Angst und Schrecken verbreitet! Doch die
friedliche Minecraft-Variante hat solche Ambitionen nicht. Die passiven
Tiere schwimmen geruhsam durch die Gewässer der Oberwelt und lassen dich in
Frieden – also tu ihnen den Gefallen und erwidere die Geste. SO dringend brauchst
du ihre Tinte bestimmt nicht, oder? Außer natürlich, du willst ein Buch schreiben.

> *Kaum zu glauben, aber bis vor Kurzem hatte ich eine Tintenfischphobie!
> Ich weiß auch nicht, warum, denn diese Wesen gehören zu den fried-
> lichsten Meeresbewohnern und schwimmen einfach an mir vorbei. Ein-
> mal habe ich in Panik mit den Armen gewedelt und versehentlich einen
> von ihnen erwischt – woraufhin es um mich herum tintenschwarz wur-
> de. Aber das war nur eine Tintenwolke, die das erschrockene Tier ausge-
> stoßen hatte. Der arme Tintenfisch tat mir so leid, dass ich ihm als Ent-
> schuldigung einen Kuchen gebacken habe ... der dann in MEINEM
> Bauch gelandet ist. Hey, Tintenfische mögen nun mal keinen Kuchen!*

LEBENSRAUM

Komm schon, brauchst du wirklich SO viele Tintenbeutel? Kauf dir ein paar bei einem wandernden
Händler (zugegeben, zu Wucherpreisen!) oder fische sie mit einer Angel aus dem Wasser. Okay, okay,
wenn du es unbedingt wissen musst ... Tintenfische spawnen überall in Flüssen und Ozeanen.

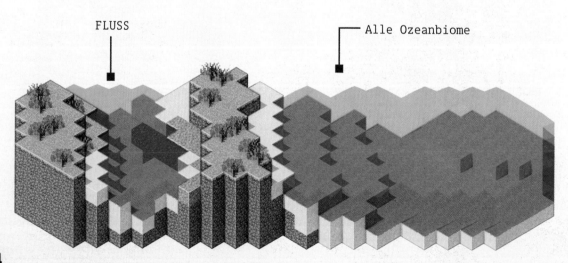

FLUSS

Alle Ozeanbiome

■ *Ich wünschte, WIR könnten Tinte ausstoßen, wenn uns jemand schlägt ...*

Mob-Notizen

BEOBACHTUNGEN: Die Art, wie Tintenfische schwimmen, hat etwas Majestätisches. Elegant bewegen sie die Tentakel und kommen damit sogar gegen Strömungen an.

SCHON GEWUSST? Wird ein Tintenfisch von dir, einem Wächter oder großen Wächter besiegt, hinterlässt er bis zu drei Tintenbeutel.

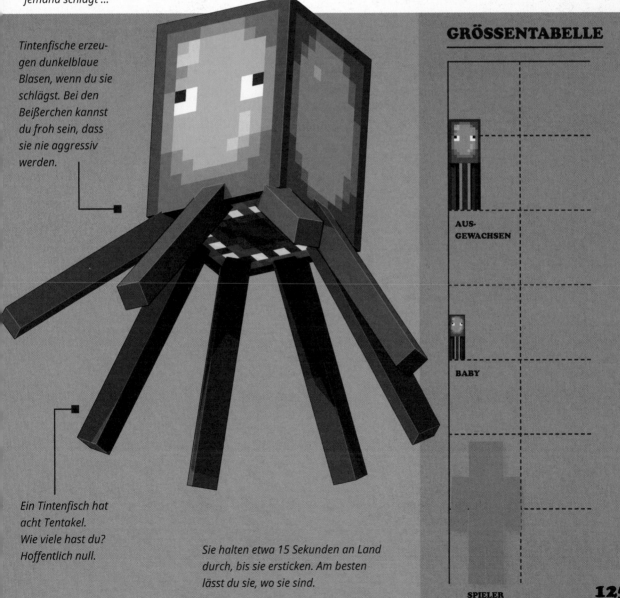

Tintenfische erzeugen dunkelblaue Blasen, wenn du sie schlägst. Bei den Beißerchen kannst du froh sein, dass sie nie aggressiv werden.

GRÖSSENTABELLE

AUS-
GEWACHSEN

BABY

Ein Tintenfisch hat acht Tentakel. Wie viele hast du? Hoffentlich null.

Sie halten etwa 15 Sekunden an Land durch, bis sie ersticken. Am besten lässt du sie, wo sie sind.

SPIELER

LEUCHTTINTENFISCH

Das leuchtende Upgrade des normalen Tintenfischs! Diese schimmernden Kreaturen schwimmen in den dunklen Tiefen des Ozeans und sind absolut magisch. Sie machen es einem leicht, darüber hinwegzusehen, dass sie keine Augen haben. Lass uns diese Tatsache einfach ignorieren und lieber Uh und Ah rufen, wenn wir ihre Glitzerpartikel beobachten. Uuuuh! Aaahh!

■

> *Gute Nachrichten! Diese Tiere sind so wundervoll, dass sie mich von meiner Tintenfischphobie geheilt haben. Ich schwamm gerade durch einen großen unterirdischen See, als ich auf mehrere Leuchttintenfische traf. Ich war kurz vor einer Panikattacke, als mir klar wurde, dass ich gar keine Angst verspürte ... sondern pure Bezauberung! Diese Wesen zu beobachten ist, als würde man Diamanten beim Schwimmen zusehen. Wenn nur alle Mobs, vor denen ich mich fürchte, so schön leuchten würden ... Leuchtspinnen! Leuchtcreeper! Okay, vielleicht doch nicht.*

LEBENSRAUM

Leuchttintenfische sind viel schwerer aufzuspüren als ihre nicht leuchtenden Kollegen. Sie spawnen nämlich nur in unterirdischen Gewässern – allerdings in wirklich allen, sodass es dir nicht schwerfallen sollte, einen aufzuspüren. Sie sind nämlich kaum zu übersehen.

Unterirdische Gewässer

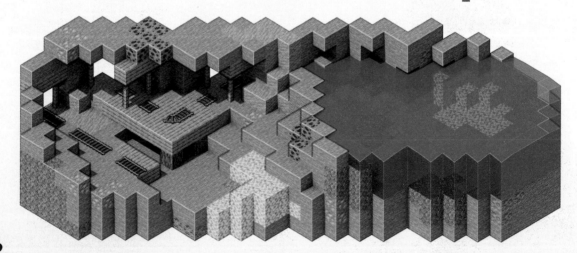

■ *So schön! Bewundere lieber dieses Bild eines Leucht-
tintenfischs, anstatt einen anzugreifen.*

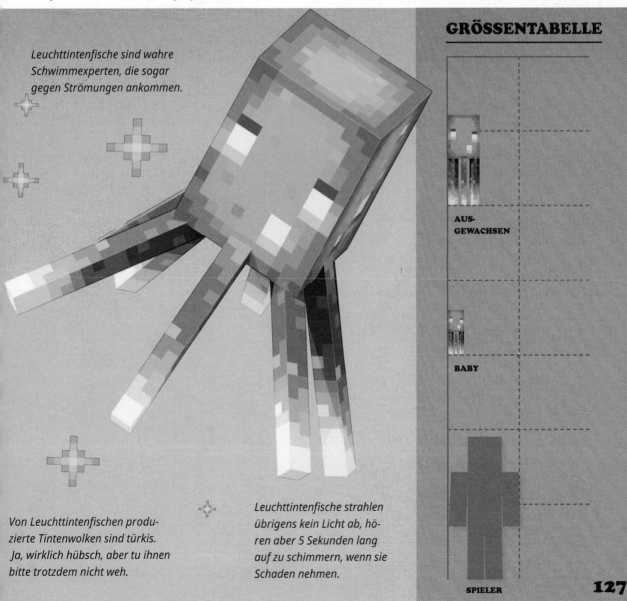

*Leuchttintenfische sind wahre
Schwimmexperten, die sogar
gegen Strömungen ankommen.*

GRÖSSENTABELLE

**AUS-
GEWACHSEN**

BABY

*Von Leuchttintenfischen produ-
zierte Tintenwolken sind türkis.
Ja, wirklich hübsch, aber tu ihnen
bitte trotzdem nicht weh.*

*Leuchttintenfische strahlen
übrigens kein Licht ab, hören aber 5 Sekunden lang
auf zu schimmern, wenn sie
Schaden nehmen.*

SPIELER

127

KUGELFISCH

Der Kugelfisch ist der Beweis, dass selbst die kleinsten Tiere nie unterschätzt werden sollten – zumal er nur auf den ersten Blick winzig erscheint, denn kommst du ihm zu nahe, plustert er sich auf und sticht dich obendrein mit seinen Giftstacheln. Bleib also lieber auf Abstand, denn dieser kleine Fisch ist alles andere als ein Hohlkopf.

Kabeljau und Lachs sind köstlich. Von Kugelfischen lass lieber die Zunge ... äh, Finger. Einmal habe ich einen probiert, woraufhin ich noch hungriger UND vergiftet wurde! Das hat mich dermaßen abgeschreckt, dass ich seitdem nur fünf weitere gegessen habe. Trotz der Gefahr musst du dich aber nicht ganz von ihnen fernhalten, denn Kugelfische sind eine wichtige Zutat zum Brauen von Tränken der Wasseratmung – ein mehr als nützliches Gebräu, wenn du die Ozeane der Oberwelt erkunden willst. Ich werde mich jetzt an Kugelfischmahlzeit Nummer sieben heranwagen. Nenn mich ruhig verrückt, aber ich gebe niemals auf!

LEBENSRAUM

Kugelfische spawnen in warmen und lauwarmen Ozeanen, sind allerdings relativ selten. Durch ihre geringe Größe sind sie zudem schwer zu entdecken. Wenn du unbedingt einen Kugelfisch willst, such dir ein Ozeanmonument und erlege einen Wächter oder Wächterältesten – die droppen sie nämlich mit einer Chance von 1 zu 300. Oder du baust dir einfach eine Angel ...

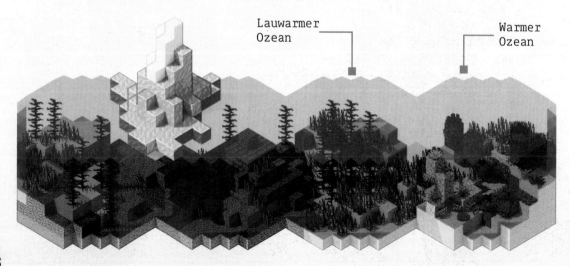

Lauwarmer Ozean

Warmer Ozean

■ *Lass dich nicht täuschen – sobald du näher kommst, plustert er sich blitzschnell auf!*

Mob-Notizen

BEOBACHTUNGEN: Kugelfische sind passiv, aber defensiv – lässt du sie in Frieden, tun sie dir nichts. Essen solltest du sie aber lieber nicht.
SCHON GEWUSST? Sie spawnen in Gruppen von bis zu drei Tieren, aber selbst dann sind sie schwer zu finden und fallen manchen erst auf, wenn sie ihnen zu nahe kommen ...

Einige Fischer-Dorfbewohner geben dir Smaragde, wenn du ihnen Kugelfische anbietest.

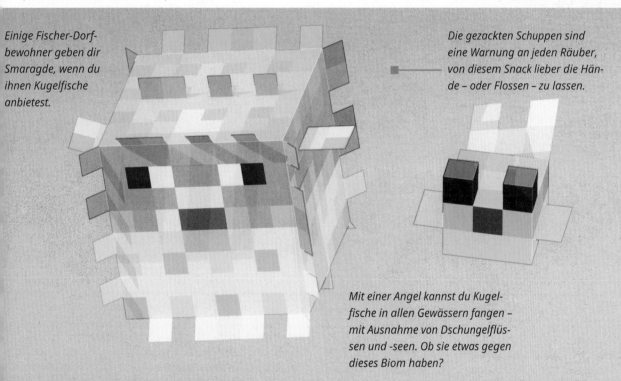

Die gezackten Schuppen sind eine Warnung an jeden Räuber, von diesem Snack lieber die Hände – oder Flossen – zu lassen.

Mit einer Angel kannst du Kugelfische in allen Gewässern fangen – mit Ausnahme von Dschungelflüssen und -seen. Ob sie etwas gegen dieses Biom haben?

GRÖSSENTABELLE

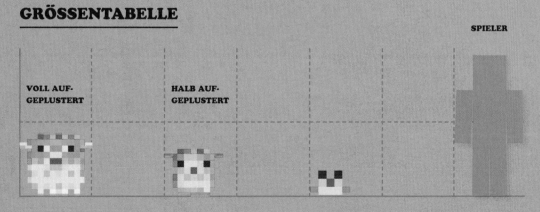

SPIELER

VOLL AUF-GEPLUSTERT

HALB AUF-GEPLUSTERT

ERTRUNKENER

Was passiert, wenn ein Zombie schwimmen geht? Er entdeckt den Sport für sich, krempelt sein Leben um und legt sein aggressives Verhalten ab? Schön wär's! Stattdessen wird er zum dreizackschwingenden Schrecken des Meeres, auch bekannt als Ertrunkener. Diese Untoten suchen alle Ozeane und Flüsse der Oberwelt heim – nimm dich also lieber in Acht.

> *Das mag verrückt klingen, aber ich GLAUBE, die Ozeane der Ober-*
> *welt wären ein sehr viel beliebteres Reiseziel, wenn dort nur passive*
> *Kreaturen leben würden. Ertrunkene sind gruselig und eine ständi-*
> *ge, nervende Bedrohung für alle, die im Wasser einfach nur ein paar*
> *ruhige Minuten verbringen möchten. Nicht einmal Abstandhalten*
> *reicht aus, denn einige dieser Griesgrame spawnen mit Dreizacken,*
> *die sie aus großer Entfernung schleudern. Zu allem Überfluss sind*
> *sie auch noch ausgezeichnete Schwimmer, die selbst mich problem-*
> *los einholen können. Wegschwimmen ist also meist keine Option.*

LEBENSRAUM

Ertrunkene sind einfach überall! Sie spawnen in allen Ozeanvarianten, Flüssen und sogar Tropfstein-höhlen! Kurz gesagt: Wenn irgendwo viel Wasser ist, sind Ertrunkene nie weit. Zombies, die sich länger als 30 Sekunden unter Wasser aufhalten, verwandeln sich ebenfalls in Ertrunkene. Vielleicht ist ein Leben an Land doch nicht so übel ...

Fast alle
Gewässer

■ *Schwimm weg! Der will bestimmt keine Umarmung!*

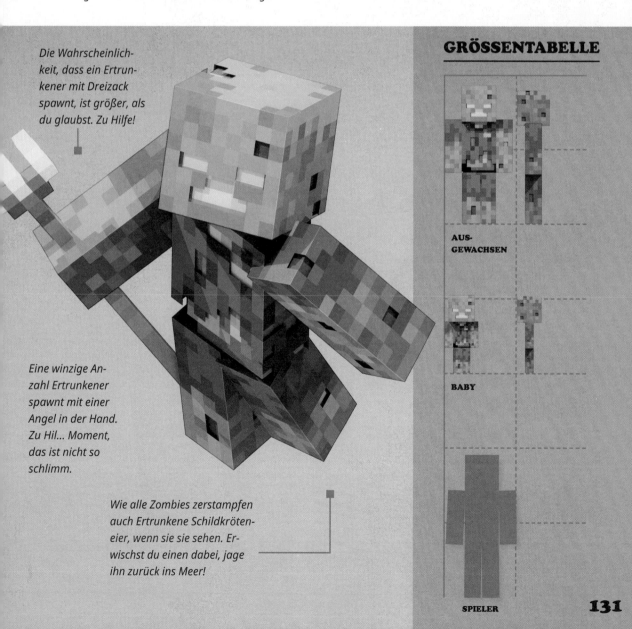

Die Wahrscheinlichkeit, dass ein Ertrunkener mit Dreizack spawnt, ist größer, als du glaubst. Zu Hilfe!

Eine winzige Anzahl Ertrunkener spawnt mit einer Angel in der Hand. Zu Hil... Moment, das ist nicht so schlimm.

Wie alle Zombies zerstampfen auch Ertrunkene Schildkröteneier, wenn sie sie sehen. Erwischst du einen dabei, jage ihn zurück ins Meer!

GRÖSSENTABELLE

AUSGEWACHSEN

BABY

SPIELER

WÄCHTER

Du willst dich NICHT in der Schusslinie des Todesblicks eines Wächters aufhalten. Diese grimmigen Wesen verschießen Laserstrahlen, die du tunlichst meiden solltest, wenn du am Leben hängst. Auch ihre orangefarbenen Stacheln sind tödlich und alles andere als hübsche Deko. Kommst du einem Wächter zu nahe, findest du schnell heraus, WIE weh sie tun.

> *Als Person, die ihr gesamtes Erwachsenenleben mit dem Versuch verbracht hat, die Monobraue wieder trendy zu machen, kann ich nicht umhin, die Wächter zu respektieren ... bis sie mich angreifen. Ich meine, sie heißen WÄCHTER ... wieso bewachen sie mich nicht? Falls du mutiger bist als ich und dich einem Wächter stellen willst, sei gewarnt: Die Laserattacke ist extrem gefährlich. Sie kann nicht mit dem Schild geblockt werden und reicht bis zu 15 Blöcke weit! Kurz gesagt, Wächter machen nichts als Ärger. Aber die Monobraue ist cool. Nettes Statement, Wächter.*

LEBENSRAUM

Wer ein Ozeanmonument betreten will, muss an den Wächtern vorbei. Diese relativ seltenen Bauwerke kommen in der Tiefsee vor, und ehe du in eins hineinschwimmst, solltest du dich gut bewaffnen, ausreichend Nahrung und Tränke der Wasseratmung mitnehmen ... und deine Wertsachen unbedingt zu Hause lassen!

Tiefseebiome (nur in und um Ozeanmonumente)

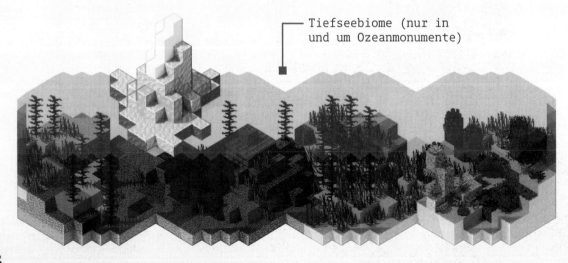

Mob-Notizen

BEOBACHTUNGEN: Wächter können Gäste absolut nicht leiden. Das könnte man zumindest denken, so beharrlich, wie sie ihr Zuhause verteidigen.

SCHON GEWUSST? Sie sind extrem gefährlich, aber besiegte Wächter droppen wertvolle Prismarinscherben und -kristalle.

...efindet sich zwischen dir ...nd dem Wächter ein soli...er Block, unterbricht er ...eine Laserattacke. ...chnell, versteck dich!

Wächter nehmen nicht nur Abenteuersuchende aufs Korn, sondern auch Tintenfische, Leuchttintenfische und Axolotl.

Ihr Körper ist gut an das Leben im Wasser angepasst. An Land quieken sie und springen hilflos umher.

GRÖSSENTABELLE

SPIELER

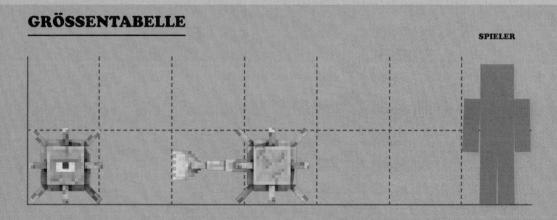

WÄCHTERÄLTESTER

Diesem größten und stärksten Wassermonster sind nur wenige begegnet und zurückgekehrt, um davon zu berichten (meist unter Schock und in Tränen aufgelöst). Diese stacheligen Ungetüme verfügen über eine Laserattacke, die noch stärker ist als die ihrer kleineren Kollegen, und halten zu allem Überfluss eine Überraschung für dich bereit, die das Abbauen unmöglich macht.

> **"**
>
> *Als ich zum ersten Mal in ein Ozeanmonument schwamm, war ich voller Zuversicht. Unmöglich, sich da drin zu verirren, solange ich meine Spitzhacke dabeihabe, dachte ich ... Tja, falsch gedacht. Mein überhebliches Lachen blieb mir im Hals stecken, als ich den ‚Abbaulähmung'-Effekt bemerkte, der sowohl das Abbautempo ALS AUCH die Angriffsgeschwindigkeit drastisch verringert. Sich einfach durch die Wände des Monuments nach draußen zu graben, ist also keine Option – und zu allem Überfluss bist du auch noch geschwächt! Zum Glück schwimmt niemand so schnell wie ich, sodass ich allen Angriffen ausweichen und in einem Stück entkommen konnte.*
>
> **"**

LEBENSRAUM

Wächterälteste spawnen in jedem Ozeanmonument an drei Stellen; die Monumente werden nur in Tiefseebiomen generiert. Kannst du absolut keins finden, kaufe einem Dorf-Kartenzeichner eine Forscherkarte ab, die dir den Weg weist. Vielen Dank, lieber Kartenzeichner!

Tiefsee (in Ozeanmonumenten)

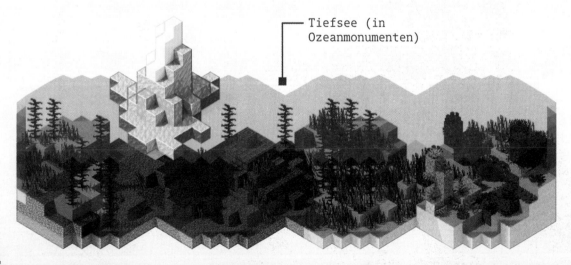

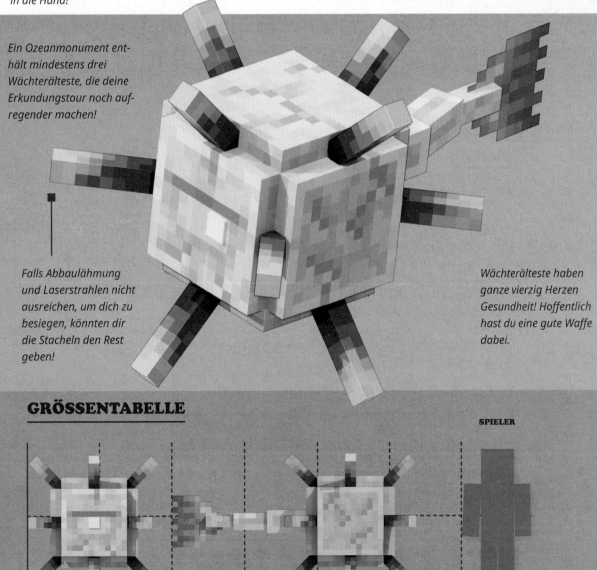

Mob-Notizen

BEOBACHTUNGEN: Wächterälteste spawnen bei der Welt-Generierung. Im Gegensatz zu den meisten anderen Mobs respawnen sie nie.
DROPS: Besiegte Wächterälteste können nasse Schwämme, Prismarinscherben und -kristalle sowie Fische und Schmiedevorlagen für den Küsten-Rüstungsbesatz droppen.

■ Wenn du den hier siehst, nimm schleunigst die Flossen in die Hand!

Ein Ozeanmonument enthält mindestens drei Wächterälteste, die deine Erkundungstour noch aufregender machen!

Falls Abbaulähmung und Laserstrahlen nicht ausreichen, um dich zu besiegen, könnten dir die Stacheln den Rest geben!

Wächterälteste haben ganze vierzig Herzen Gesundheit! Hoffentlich hast du eine gute Waffe dabei.

GRÖSSENTABELLE

SPIELER

NETHER-FORSCHENDE

Auf Wiedersehen! Moment, das war falsch ... Hallo! Tut mir leid, ich bin so lange fort gewesen, dass ich vergessen habe, wie menschliche Interaktion funktioniert. Ich bin Amelia Netherheart und LIEBE den Nether. Ist es eigenartig, dass ich einen Ort liebe, der meine Gefühle eindeutig nicht erwidert? Mag sein. Aber das hält mich nicht davon ab, seine feurigen Kavernen zu erkunden und alle Mobs zu katalogisieren, die hier leben.

SCHREITER

Bei dem Gesichtsausdruck, der einen Creeper wie einen Ausbund an Frohsinn erscheinen lässt, fragt man sich, warum Schreiter so bedrückt sind. Missfällt ihnen womöglich, dass sie ständig als Taxi benutzt werden? Sie sind die einzigen Mobs, die über Lava laufen können und mit denen du im Nether ohne Verbrennungen von A nach B gelangst.

———————————— ■ ————————————

Wer sich wie ich gern im Nether aufhält, lernt schnell, dass ein Bad in Lava ungesund ist. Deshalb reite ich so gern auf Schreitern! Dafür ist nur ein Sattel vonnöten – ein kleiner Preis fürs Reisen ohne das Risiko, gegrillt zu werden! Allerdings laufen Schreiter allein nur ziellos umher. Baue eine Wirrpilzrute, um sie zu lenken! Dir und mir mag das wenig appetitlich vorkommen, aber Schreiter sind ganz versessen auf die blauen Pilze. Hey, warum reitest du zum Portal zurück? Komm schon, du bist doch gerade erst angekommen!

LEBENSRAUM

Schreiter spawnen in allen Netherbiomen und treiben sich am liebsten auf Lava herum. Von der gibt's im Nether mehr als genug, weshalb du beim (vorsichtigen) Erkunden bestimmt bald auf einen Schreiter triffst. Aber lauf nicht gleich vor Freude auf ihn zu – DU kannst nämlich NICHT über Lava laufen!

Alle Netherbiome

■ *Kopf hoch, Schreiter! Wir haben nur noch 500 Kilometer vor uns!*

Mob-Notizen

BEOBACHTUNGEN: Diese Wesen sind absolut wasserscheu. Ob in Form von Regen oder einer geworfenen Wasserflasche – sie vertragen es einfach nicht!

DROPS: Besiegte Schreiter hinterlassen immer mindestens zwei Fäden und falls sie einen Sattel trugen, auch den.

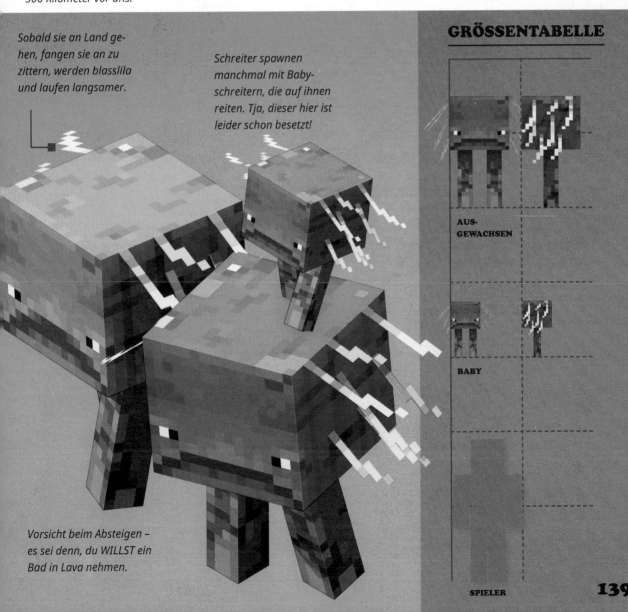

Sobald sie an Land gehen, fangen sie an zu zittern, werden blasslila und laufen langsamer.

Schreiter spawnen manchmal mit Babyschreitern, die auf ihnen reiten. Tja, dieser hier ist leider schon besetzt!

Vorsicht beim Absteigen – es sei denn, du WILLST ein Bad in Lava nehmen.

GRÖSSENTABELLE

AUS-
GEWACHSEN

BABY

SPIELER

PIGLIN

Ein schweineartiger Zweibeiner, der von Gold geradezu besessen ist. Die glitzerverrückten Piglins schwingen quiekend ihr Schwert oder feuern mit der Armbrust auf alle, die ohne sichtbares Gold durch den Nether laufen. Eine Goldrüstung mag pompös wirken, aber zieh sie lieber an, sonst trägst du bald ein paar dekorative Pfeile mit dir herum.

Warum nur sind Piglins so verrückt nach Gold? Man kann es weder essen noch einpflanzen, und umarmen kann es mich auch nicht! Trotzdem habe ich so viel Zeit im Nether verbracht, dass ich irgendwann nachgab und mir einen Gold-helm gemacht habe, um nicht ständig Piglins am Hals zu haben. Sie schnau-ben übrigens, wenn man etwas Goldenes in der Hand hält. Aber wohl kaum aus Respekt, sondern weil sie neidisch sind! Ihr gieriges Schnauben ist einer der Gründe, warum mir Baby-Piglins lieber sind. Die sind nämlich passiv und schnauben selten. Ein echtes Vorbild für die Erwachsenen!

LEBENSRAUM

Piglins kommen im Nether-Ödland und in Karmesinwäldern vor. Prüfe am besten VOR Betreten des Portals, ob du ein goldenes Rüstungsteil trägst. Außerdem spawnen sie in Bastionsruinen – gruseligen schwarzen Burgen, die in allen Netherbiomen außer dem Basalt-Delta generiert werden. Behalte dein Gold am besten die ganze Zeit an. Sicher ist sicher!

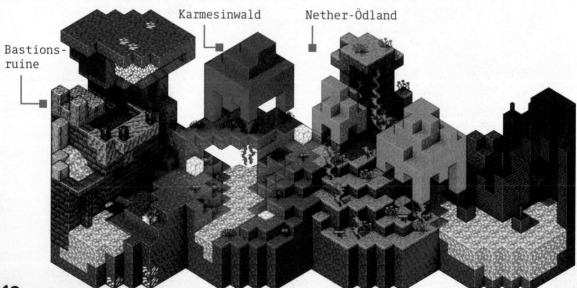

Karmesinwald

Nether-Ödland

Bastions-
ruine

■ *Piglins beim Siegestanz. Ähm ... echt elegant, Leute!*

Mob-Notizen

BEOBACHTUNGEN: Piglins vertragen keine frische Luft und verwandeln sich nach kurzer Zeit in der Oberwelt in Zombie-Piglins.

SCHON GEWUSST? Piglins tauchen in Gruppen von bis zu vier Individuen auf. Die Babyvariante spawnt eher selten und wird nie erwachsen.

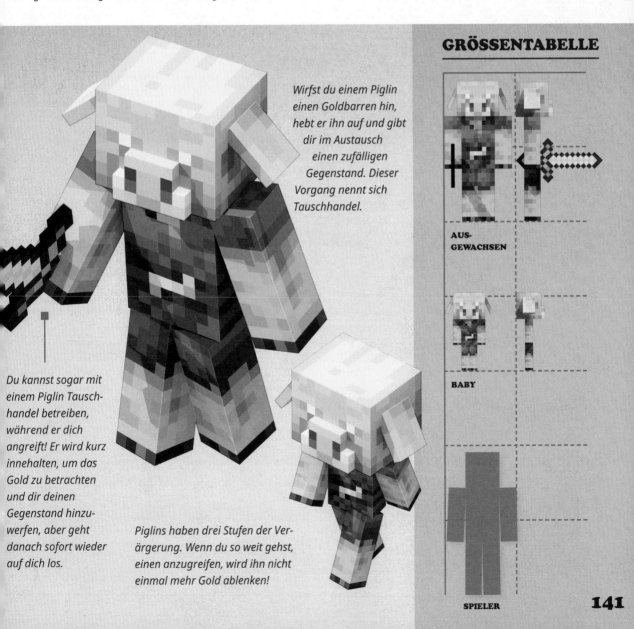

Wirfst du einem Piglin einen Goldbarren hin, hebt er ihn auf und gibt dir im Austausch einen zufälligen Gegenstand. Dieser Vorgang nennt sich Tauschhandel.

Du kannst sogar mit einem Piglin Tauschhandel betreiben, während er dich angreift! Er wird kurz innehalten, um das Gold zu betrachten und dir deinen Gegenstand hinzuwerfen, aber geht danach sofort wieder auf dich los.

Piglins haben drei Stufen der Verärgerung. Wenn du so weit gehst, einen anzugreifen, wird ihn nicht einmal mehr Gold ablenken!

GRÖSSENTABELLE

AUS-GEWACHSEN

BABY

SPIELER

141

PIGLIN-GROBIAN

Stell dir vor, du schlenderst von Kopf bis Fuß in Gold gekleidet durch das endlose Rot des Nethers, weil du weißt, so kann dir nichts passieren ... als dich plötzlich ein Riesenpiglin angreift! Darf ich vorstellen – der Piglin-Grobian! Diesem grobschlächtigen Koloss ist deine Rüstung herzlich egal. Das einzige Gold, für das er etwas übrig hat, ist seine eigene Axt!

> *Ganz ruhig, Kumpel. Piglin-Grobiane lassen nicht mit sich reden – davon zeugen mehrere Axtnarben an meinem Körper. Ich habe es mit Komplimenten versucht, ihnen Gold vor die Füße geworfen und ihnen sogar freundliche Worte vorgeschnaubt (hoffe ich jedenfalls) ... Vergeblich. Piglin-Grobiane sind weder an Worten noch an Tauschgeschäften interessiert und greifen IMMER an. Der einzige Grund, sich auf eine Prügelei einzulassen, ist die kleine Chance, dass sie ihre Goldaxt droppen. Ganz ehrlich? Darauf kann ich verzichten. Ich gehe lieber in die andere Richtung. Tschüssi!*

LEBENSRAUM

Die gute Nachricht: Grobiane spawnen nur in Bastionsruinen. Die schlechte? Bastionsruinen gibt's in fast allen Biomen. Wenn du dich hineintraust, gehe extrem vorsichtig vor, denn diesmal wird dich deine Goldrüstung nicht vor ihrem Zorn bewahren!

Bastions-
ruine

■ Schnell! Sie holen auf!

Mob-Notizen

BEOBACHTUNGEN: Im Gegensatz zu Piglins interessieren sich Piglin-Grobiane nicht für den Tauschhandel. Versuche es also gar nicht erst.

DROPS: Besiegst du einen dieser Grobiane, besteht die Chance, dass sie ihre Goldaxt fallen lassen. Eine eher maue Belohnung für einen so harten Gegner.

Anders als normale Piglins können Grobiane nichts mit Armbrüsten anfangen. Wenigstens EINE gute Nachricht!

Piglins führen kleine Siegestänze auf – Grobiane nicht. Was für Griesgrame!

Ihre Nahkampfattacken gehören zu den stärksten aller Netherkreaturen. Halte Abstand, sonst erfährst du diese brutale Kraft am eigenen Leib.

GRÖSSENTABELLE

ZOMBIE-PIGLIN

Dieser Schinken hat wohl ein bisschen zu lange in der Sonne gelegen. Diese untoten Grunzer mögen gefährlich aussehen, aber sind neutral. Ähnlich wie normale Piglins stehen auch diese Zombies auf Edelmetall und benutzen Goldschwerter, die sie manchmal hinterlassen, wenn sie sterben.

Zugegeben, sie machen keinen besonders freundlichen Eindruck, aber lass dich nicht von ihrem Aussehen täuschen, denn Zombie-Piglins sind nicht aggressiv! Die meiste Zeit verhalten sie sich friedlich und wandern ziellos durch den Nether ... solange du sie in Ruhe lässt. Von allen Zombievarianten sind ausgerechnet sie die chilligsten in ganz Minecraft und überzeugen dich womöglich sogar von einer pflanzenbasierten Ernährung, denn sie droppen keinen saftigen Schinken, sondern nur verrottetes Fleisch ... und wer will das schon essen?

LEBENSRAUM

Zombie-Piglins spawnen in Karmesinwäldern und im Nether-Ödland, dem gängigsten Biom im Nether. Es wird also nicht lange dauern, ehe du einem begegnest. In der Oberwelt spawnen sie zudem in der Nähe von Netherportalen. Behalte bei Gewitter deine Hausschweine im Auge, denn die verwandeln sich nach einem Blitzeinschlag in Zombie-Piglins!

Nether-Ödland   Karmesinwald

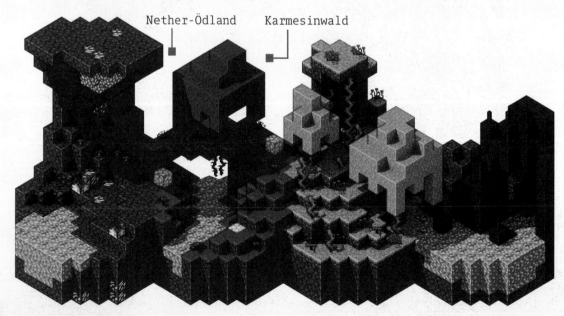

Mob-Notizen

BEOBACHTUNGEN: Sie mögen furchterregend aussehen, aber Zombie-Piglins verhalten sich neutral. Deine Türen sind vor ihnen sicher!

DROPS: Besiegte Zombie-Piglins hinterlassen unter anderem Goldbarren, Goldklumpen und Goldwaffen. Fette Beute!

■ Oh, oh! Dieses Schwein erhält gleich sein Halloween-Kostüm.

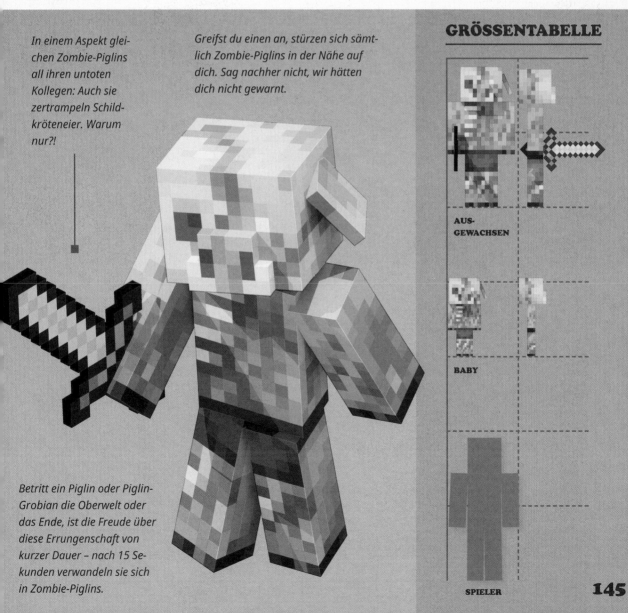

In einem Aspekt gleichen Zombie-Piglins all ihren untoten Kollegen: Auch sie zertrampeln Schildkröteneier. Warum nur?!

Greifst du einen an, stürzen sich sämtlich Zombie-Piglins in der Nähe auf dich. Sag nachher nicht, wir hätten dich nicht gewarnt.

Betritt ein Piglin oder Piglin-Grobian die Oberwelt oder das Ende, ist die Freude über diese Errungenschaft von kurzer Dauer – nach 15 Sekunden verwandeln sie sich in Zombie-Piglins.

GRÖSSENTABELLE

AUS-GEWACHSEN

BABY

SPIELER

145

HOGLIN & ZOGLIN

as passiert, wenn ein unschuldiges Schwein zu viel Zeit in schlechter Gesellschaft verbringt, sich Hauer und eine Punkfrisur wachsen lässt und anfängt, alle zu terrorisieren, die es wagen, nur darüber NACH-ZUDENKEN, Schweinebraten zum Abendbrot zu essen? O ja, Hoglins sind schon angriffslustig, BEVOR sie zu untoten Zoglins werden. Stinker!

Was mir am Nether so gefällt, ist seine Kuriosität. Ich meine, wie kann es sein, dass süße Hoglins aggressiv sind und Zombie-Piglins neutral? Andererseits wärst du bestimmt auch auf Krawall gebürstet, wenn dir ständig jemand buchstäblich ans Leder will! Übrigens, Fun Fact für ganz Mutige: Hoglins sind die einzigen aggressiven Mobs, die man züchten kann. Füttere einfach zwei erwachsene Tiere mit Karmesinpilzen, und schon hast du ein mordlusti- ges Ferkel! Besuch mich gern einmal auf meiner Hoglinfarm ... du willst sie nicht zufällig übernehmen, oder?

LEBENSRAUM

Hoglins spawnen manchmal in Bastionsruinen, meist jedoch in Karmesinwäldern, denn sie lieben Karmesinpilze. Wenn du einen Zoglin sehen willst, musst du den Nether verlassen – Hoglins, die sich 15 Sekunden in der Oberwelt oder im Ende aufhalten, verwandeln sich in Zoglins. Komisches Upgrade ...

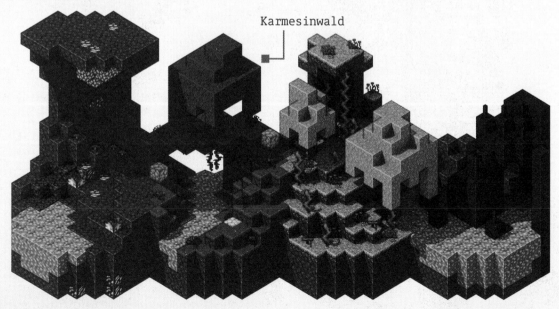

Karmesinwald

■ *Dieses Ferkel greift dich ohne zu zögern an. Süß ist es trotzdem!*

Mob-Notizen

HAT ANGST VOR: Sie fürchten sich zu Recht vor Piglins, denn die machen Jagd auf Hoglins. Sind sie in der Unterzahl, fliehen Hoglins sogar.
DROPS: Besiegte Hoglins hinterlassen Leder und mindestens zwei Stück rohes Schweinefleisch (gebratenes, wenn Feuer im Spiel war). Zoglins droppen nur verrottetes Fleisch.

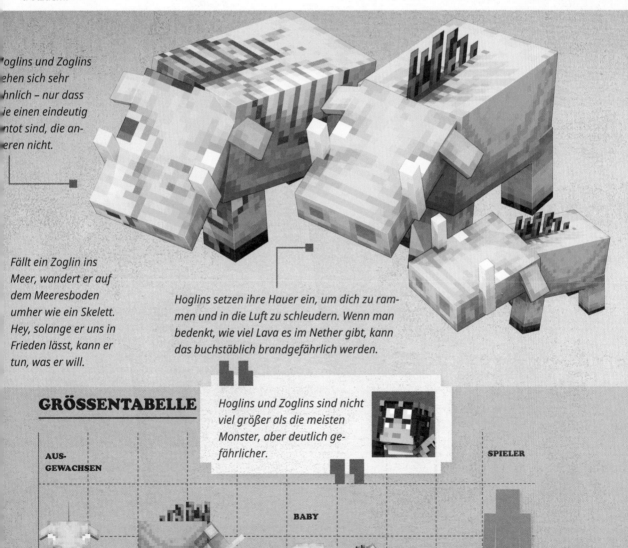

Hoglins und Zoglins sehen sich sehr ähnlich – nur dass die einen eindeutig untot sind, die anderen nicht.

Fällt ein Zoglin ins Meer, wandert er auf dem Meeresboden umher wie ein Skelett. Hey, solange er uns in Frieden lässt, kann er tun, was er will.

Hoglins setzen ihre Hauer ein, um dich zu rammen und in die Luft zu schleudern. Wenn man bedenkt, wie viel Lava es im Nether gibt, kann das buchstäblich brandgefährlich werden.

GRÖSSENTABELLE

Hoglins und Zoglins sind nicht viel größer als die meisten Monster, aber deutlich gefährlicher.

AUS-GEWACHSEN

BABY

SPIELER

LOHE

Im Nether Urlaub machen? Wohl kaum, außer du stehst auf tödliche Hitze, die kein Wesen so treffend repräsentiert wie die Lohe. Im Nahkampf schlägt sie zu, aus der Ferne verschießt sie Feuerbälle ... kurz gesagt, du wirst dir bald wünschen, im Wasser statt im Nether zu sein. Leider produzieren nur sie Lohenruten, die zum Brauen essenziell sind.

——————————————— ◾ ———————————————

Ich habe da eine Theorie: Eine Lohe sieht doch aus wie ein Block, richtig? Was, wenn sie früher einmal einer WAR, der abgebaut wurde und nun zurückgekehrt ist, um sich dafür zu rächen? Okay, okay, meine Theorie kann echter Wissenschaft nicht das Wasser reichen ... DU hingegen solltest unbedingt den LOHEN welches reichen – super Überleitung, oder?! – am besten in Form von mit Wasser gefüllten Wurfflaschen, denn die (und Schneebälle) fügen ihnen gehörigen Schaden zu. Nicht, dass ich IRGENDEINEM meiner geliebten Netherwesen schaden wollte, aber Lohen ... nerven einfach.

LEBENSRAUM

Die gute Nachricht: Lohen spawnen nur in Netherfestungen. Die schlechte? Netherfestungen sind brandgefährlich. Nicht zuletzt, weil dort ÜBERALL Lohen abhängen. Leider findest du in Netherfestungen weder Wasserflaschen noch Schneebälle, also nimm einen Vorrat mit, wenn du auf Lohenjagd gehst!

Nether-festung

■ *Die ewig wirbelnden Ruten können verwirrend wirken.*

Lohen verschießen ihre Feuerbälle nur bei einer freien Schussbahn. Schnell, versteck dich!

Pulverschnee ist für diese Monster wie Kryptonit. Zu schade, dass es im Nether niemals schneit.

Ihre Nahkampfattacken bewirken keinen Feuer-schaden. Feuerwider-standstränke schützen nur gegen ihre Feuer-bälle.

GRÖSSENTABELLE

SPIELER

149

GHAST

Ein garstiger Geist, den wohl nur seine eigene Mutter liebt – vielleicht schreit er deshalb wie ein Baby. Ghasts sind wahre Schreckgespenster, die meist mit geschlossenem Mund gurrend und schnurrend durch den Nether schweben – bis sie dich erblicken und einen fürchterlichen Schrei ausstoßen ... doch damit nicht genug!

Wusstest du, dass die Geschossattacke eines Ghasts theoretisch unendlich weit fliegt? Wirklich wahr! Solange die Feuerbälle nicht auf ein Hindernis treffen, setzen sie ihre Reise bis in alle Ewigkeit fort. Würde ein Ghast also ins Weltall schießen (ich weiß, nicht gerade wahrscheinlich im Nether), würde das Geschoss fliegen und fliegen und ... so weiter. Solche Fun Facts gehe ich gern im Kopf durch, wenn mich mal wieder ein Ghast aufs Korn nimmt, um nicht selbst aggressiv zu werden. Jetzt mal ehrlich, Ghast, was kreischst DU wie ein Baby, wenn ICH die mit dem Feuerball im Gesicht bin?

LEBENSRAUM

Ghasts sind leicht zu finden – zum einen aufgrund ihrer enormen Größe, zum anderen, weil ihr Gurren und Kreischen selbst in 80 Blöcken Entfernung noch zu hören ist. Sie spawnen in Basalt-Deltas, im Nether-Ödland und Seelensandtal. Urlaub im Nether klingt zunehmend unattraktiv.

Seelensandtal

Nether-Ödland

Bastionsruine

Mob-Notizen

BEOBACHTUNGEN: Fügst du einem Ghast Schaden zu, greift er dich aus bis zu 64 Blöcken Entfernung an. Lauf ... LAAUUUF!

DROPS: Ein besiegter Ghast (viel Glück!) droppt Schwarzpulver und manchmal eine seltene Ghastträne, ein Bestandteil von Regenerationstränken sowie Enderkristallen.

Ghasts können in Flammen aufgehen, erleiden aber keinen Feuerschaden. Probiere lieber eine andere Strategie.

GRÖSSENTABELLE

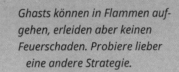

Ghastränen sind eine wichtige Zutat für Regenerationstränke. Ob du dafür einen Kampf riskieren willst, bleibt dir überlassen.

Mit dem richtigen Timing kannst du einen Feuerball zurückschlagen – und das Monster mit seiner eigenen Waffe schlagen. Ha, nimm das, Ghast!

MAGMAWÜRFEL

Ein zorniger Feuerklotz, der sich vervielfacht, wenn du ihn schlägst. Magmawürfel erscheinen harmlos, aber diese hüpfenden Blöcke sind gefährlich! Wer sie unterschätzt, wird sich bald umgucken, denn obwohl sie den Schleimen der Oberwelt ähnlich sind, springen sie viel höher, bewirken mehr Schaden und sind immun gegen Feuer. Da kommen einem Schleime mit einem Mal richtig sympathisch vor, oder?

———————————— ■ ————————————

> *Ich hab's geahnt ... irgendwann erheben sich die Blöcke und rächen sich an uns! Deshalb entschuldige ich mich auch bei jedem Block, den ich in der Oberwelt abbaue, und mache den anderen Blumengeschenke. Das dauert zwar ewig, aber man weiß ja nie. Zu schade, dass sich Magmawürfel eindeutig nicht um nette Gesten scheren. Die springen mich nämlich immer noch an. Wenigstens sieht der dabei entstehende Ziehharmonika-Look witzig aus ... Eine kleine Entschädigung für die schmerzenden Brandwunden.*

LEBENSRAUM

Uff ... diese brandheißen Würfel spawnen tatsächlich in ALLEN Netherbiomen – in manchen sogar richtig oft. Durchquerst du zum Beispiel ein Basalt-Delta, wirst du schnell auf einen treffen, während sie im Nether-Ödland eher selten sind. Zum Glück sind sie kaum zu übersehen.

Alle Netherbiome

■ *Ein Magmawürfel auf dem Sprung!*

Mob-Notizen

VERHALTEN: Diese Feuerklötze springen ziellos umher, bis sie einen Gegner entdecken, dem sie daraufhin nicht mehr von der Pelle rücken.

DROPS: Besiegte Magmawürfel droppen Magmacreme, eine wichtige Zutat zum Brauen von gewöhnlichen und Feuerwiderstandtränken.

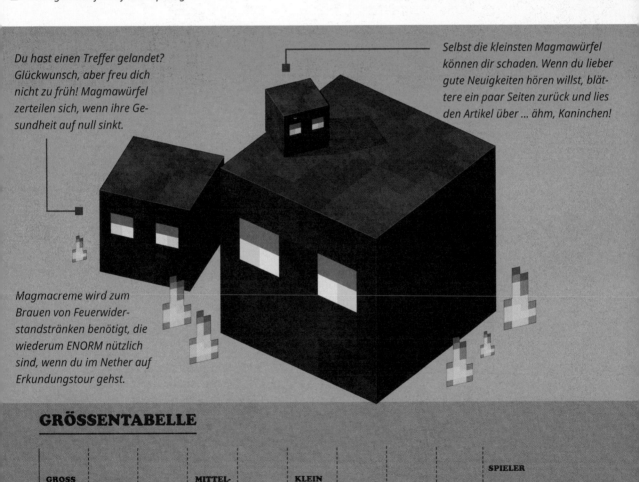

Du hast einen Treffer gelandet? Glückwunsch, aber freu dich nicht zu früh! Magmawürfel zerteilen sich, wenn ihre Gesundheit auf null sinkt.

Selbst die kleinsten Magmawürfel können dir schaden. Wenn du lieber gute Neuigkeiten hören willst, blättere ein paar Seiten zurück und lies den Artikel über ... ähm, Kaninchen!

Magmacreme wird zum Brauen von Feuerwiderstandtränken benötigt, die wiederum ENORM nützlich sind, wenn du im Nether auf Erkundungstour gehst.

GRÖSSENTABELLE

GROSS

MITTEL-GROSS

KLEIN

SPIELER

WITHERSKELETT

Du glaubst, ein normales Skelett ist schlimm? Ha! Es geht noch VIEL schlimmer, denn die größeren, schnelleren, steinschwertschwingenden Witherskelette sind ein echter Albtraum. Besonders gefährlich ist ihr giftähnlicher Wither-Effekt, also geh auf Abstand, wenn du dich ihnen stellst.

Ich liebe das Leben im Nether! Echt! Ich merke nur langsam, dass ich mir den falschen Buchabschnitt ausgesucht habe. Ich meine, Bennie darf auf der Wiese mit Schafen kuscheln, während ich mich in dieser brütenden Hitze mit Witherskeletten herumschlage ... deren Umarmungen ECHT mies sind! Der Wither-Effekt ist übrigens schlimmer als Gift, weil er die Gesundheitsleiste schwarz macht, sodass du nicht sehen kannst, wie viele Herzen übrig sind. Ich versuche wirklich, in jedem Mob das Beste zu sehen, und tue das sogar beim Witherskelett ... sobald es aufhört, auf mich einzuprügeln.

LEBENSRAUM

Zum Glück streifen Witherskelette nicht durch den ganzen Nether. Du triffst sie nur, wenn du mutig – oder kühn – genug bist, eine Netherfestung zu betreten. Das Monster auf der nächsten Seite kann übrigens Witherskelette beschwören ... Da kommen einem die Oberweltskelette gar nicht mehr so schlimm vor, oder?

Nether-festung

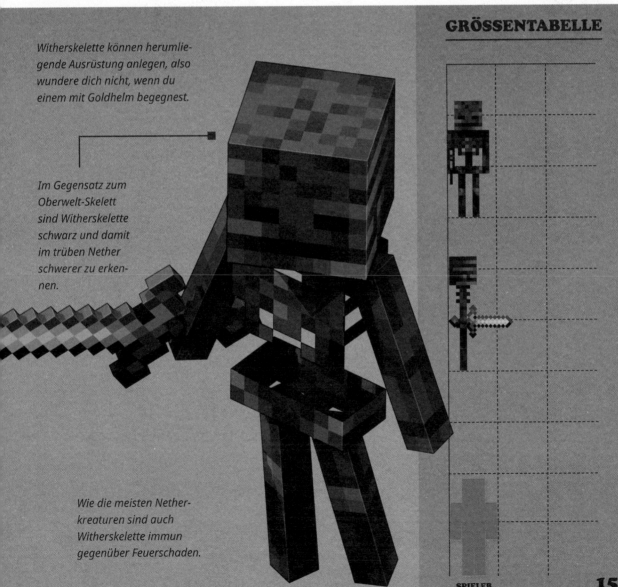

Mob-Notizen

BEOBACHTUNGEN: Spinnen spawnen im Nether in seltenen Fällen mit einem Witherskelett auf dem Rücken.
DROPS: Witherskelette droppen manchmal ihren Kopf, häufiger allerdings Knochen, Kohle und ihre Steinschwerter.

■ *Diese Fieslinge sind immun gegen Feuerschaden und nicht nur deshalb harte Gegner.*

Witherskelette können herumliegende Ausrüstung anlegen, also wundere dich nicht, wenn du einem mit Goldhelm begegnest.

Im Gegensatz zum Oberwelt-Skelett sind Witherskelette schwarz und damit im trüben Nether schwerer zu erkennen.

Wie die meisten Netherkreaturen sind auch Witherskelette immun gegenüber Feuerschaden.

GRÖSSENTABELLE

WITHER

Ein mächtiges Bossmonster, das uns wieder einmal zeigt: Drei Köpfe sind nur besser als einer, wenn sie dir NICHT allesamt den Tod wünschen. Im Ernst, beschwöre den Wither nur, wenn du einen Netherstern für ein Leuchtfeuer brauchst. Dieses Ungetüm wird buchstäblich aus einer Explosion geboren – nur ein kleiner Vorgeschmack auf den bevorstehenden Kampf!

> Der Wither gehört zu den Mobs, die du konstruieren musst. Die Anleitung ist auf einem der Minecraft-Gemälde festgehalten, die du in deinem Haus in der Oberwelt aufhängen kannst. Woher ich das weiß? Ähm, habe ich irgendwo gelesen. Es heißt KEINESWEGS, dass ICH ein solches Haus besitze ... ähem. Zurück zum Thema: Wenn du einen Wither beschwören willst, brauchst du vier Blöcke Seelensand oder Seelenerde und drei Witherskelettschädel. Zum Glück habe ich davon massig herumliegen (frag nicht, wieso), sodass ich das Monstrum im Handumdrehen herbeirufen konnte. Leider fiel mir erst DANACH ein, dass ein Wither SO gefährlich ist, dass man ihn lieber GAR nicht beschwört.

LEBENSRAUM

Keiner ... und alle! Du kannst ihn beschwören, wo immer du willst (wobei wir das kaum bekannte Biom „Nirgendwo" empfehlen) – du brauchst nur Seelensand und Witherskelettschädel. Ersteren gibt's im Seelensandtal und im Nether-Ödland sowie in antiken Städten (falls du keine Lust auf den Nether hast). Die Schädel werden von Witherskeletten in Netherfestungen gedroppt. Viel Glück!

Nether-Ödland

Seelensandtal

■ *Das Gemälde mit der Formel für eine Witherbeschwörung.*
Was es nicht zeigt, ist die Gefahr, die von ihm ausgeht.

Mob-Notizen

BEOBACHTUNGEN: Ein Wither spawnt nicht natürlich und muss beschworen werden. Ein Glück, was? Hey, was machst du da? Leg den Seelensand weg!

DROPS: Einen Wither zu besiegen, ist der einzige Weg, an einen Netherstern zu kommen. Den brauchst du zum Bau eines Leuchtfeuers.

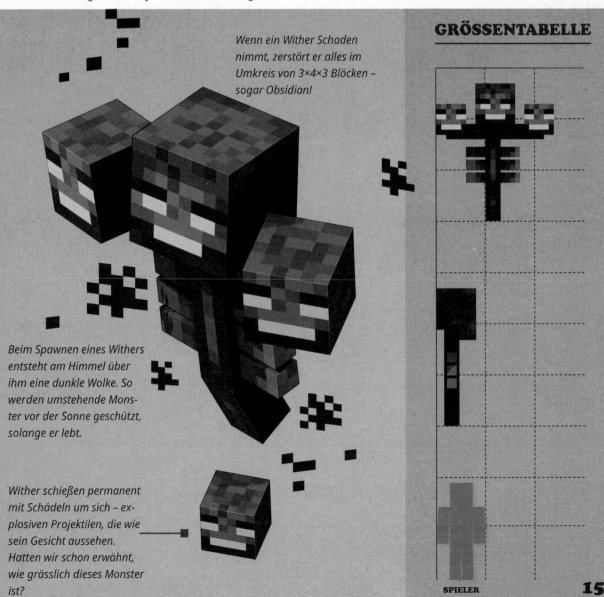

Wenn ein Wither Schaden nimmt, zerstört er alles im Umkreis von 3×4×3 Blöcken – sogar Obsidian!

GRÖSSENTABELLE

Beim Spawnen eines Withers entsteht am Himmel über ihm eine dunkle Wolke. So werden umstehende Monster vor der Sonne geschützt, solange er lebt.

Wither schießen permanent mit Schädeln um sich – explosiven Projektilen, die wie sein Gesicht aussehen. Hatten wir schon erwähnt, wie grässlich dieses Monster ist?

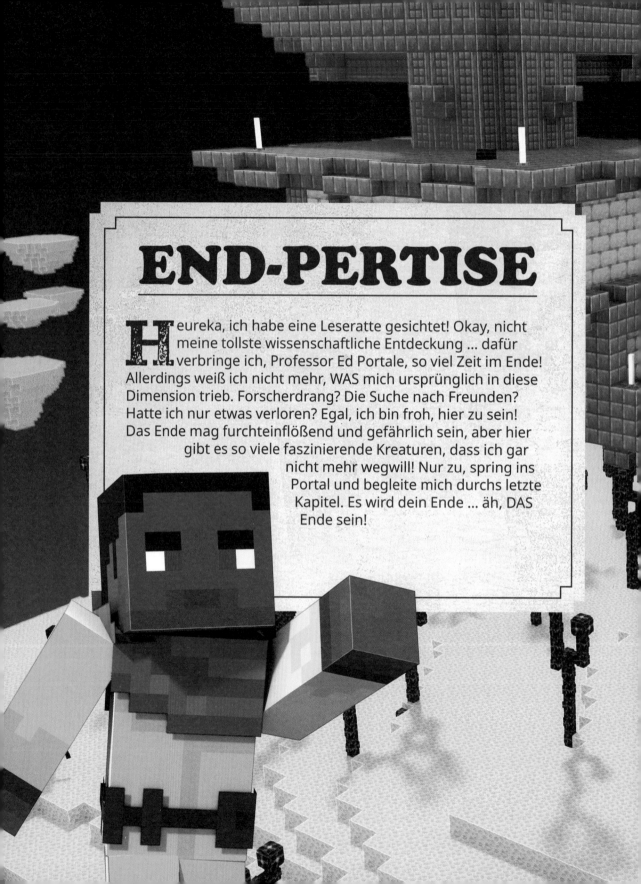

END-PERTISE

Heureka, ich habe eine Leseratte gesichtet! Okay, nicht meine tollste wissenschaftliche Entdeckung ... dafür verbringe ich, Professor Ed Portale, so viel Zeit im Ende! Allerdings weiß ich nicht mehr, WAS mich ursprünglich in diese Dimension trieb. Forscherdrang? Die Suche nach Freunden? Hatte ich nur etwas verloren? Egal, ich bin froh, hier zu sein! Das Ende mag furchteinflößend und gefährlich sein, aber hier gibt es so viele faszinierende Kreaturen, dass ich gar nicht mehr wegwill! Nur zu, spring ins Portal und begleite mich durchs letzte Kapitel. Es wird dein Ende ... äh, DAS Ende sein!

ENDERMAN

Wer gern anderen tief in die Augen blickt, sollte bei Endermen lieber vorsichtig sein. Dabei haben sie so schöne lilafarbene Augen! Diese schlanken Wesen wandern umher und tragen Blöcke von A nach B ... und zwar am liebsten unbeobachtet. Wer einen Enderman anschaut, wird augenblicklich angegriffen. Lass dich nicht von den dünnen Armen täuschen – diese Wesen schlagen hart zu!

———————————— ■ ————————————

> "Was für eine faszinierende Kreatur! Für diesen Artikel würde ich sie gern näher erforschen ... was schwierig ist, ohne sie anzusehen. Ach, was soll's, Konventionen haben mich noch nie aufgehalten. Nur ein kleiner Blick ... oh, wow! Dieses Exemplar ist wirklich wunderschön. Selbst nachdem es sich zu mir teleportiert und mir einen Hieb verpasst hat. Ein kleiner Preis für den herrlichen Anblick! Endermen bleiben neutral, solange du sie nicht ansiehst, und gehören zu den seltenen Mobs, die Blöcke aufheben können."

LEBENSRAUM

Obwohl es der Name vermuten lässt, kommen Endermen nicht nur im Ende vor. Sie gehören zu den zahlreichen Mobs, die nachts durch die Biome der Oberwelt streifen. Sogar im Nether können sie spawnen, was sie zur einzigen Kreatur in Minecraft macht, die es in allen drei Dimensionen gibt!

Oberwelt

Nether

Ende

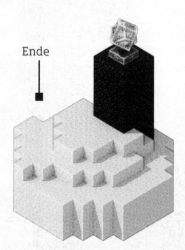

■ *Hey, gib den zurück! Nimm dir etwas weniger Wertvolles!*

Mob-Notizen

DROPS: Ein besiegter Enderman hinterlässt eine Enderperle, aus der du ein Enderauge machen kannst, welches du brauchst, um ins Ende zu gelangen.

SCHON GEWUSST? Grabe dir einen zwei Block hohen Gang und stelle dich unter. Aufgrund seiner Größe kann er dir nicht folgen.

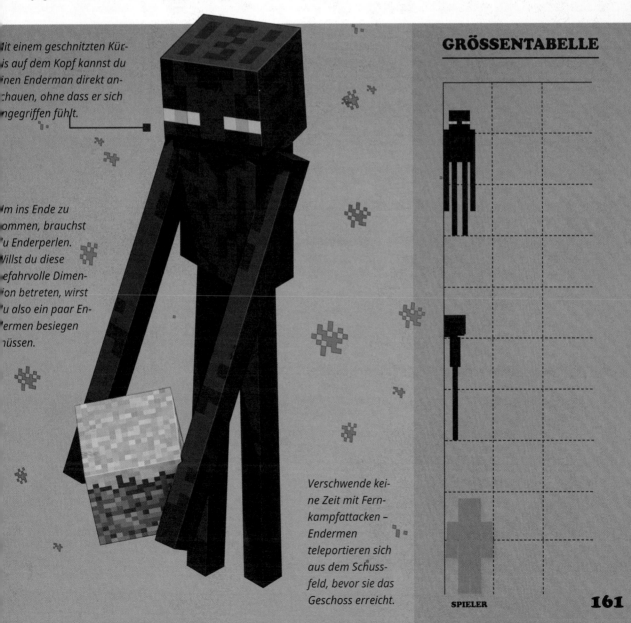

Mit einem geschnitzten Kürbis auf dem Kopf kannst du einen Enderman direkt anschauen, ohne dass er sich angegriffen fühlt.

Um ins Ende zu kommen, brauchst du Enderperlen. Willst du diese gefahrvolle Dimension betreten, wirst du also ein paar Endermen besiegen müssen.

Verschwende keine Zeit mit Fernkampfattacken – Endermen teleportieren sich aus dem Schussfeld, bevor sie das Geschoss erreicht.

GRÖSSENTABELLE

SPIELER

161

ENDERMILBE

Sie mag das kleinste Monster in Minecraft sein, aber dieser krabbelnde Winzling ist nicht zu unterschätzen. Ein Biss, der dich nur ein Herz kostet, mag nicht bedrohlich klingen, aber Endermilben sind so klein, dass sie dich kalt erwischen ... und sie begnügen sich nie mit nur einem Happen. Außerdem wäre es irgendwie peinlich, von etwas so Winzigem besiegt zu werden ... findest du nicht?

Hast du je eine Enderperle benutzt? Die sind ziemlich cool. Wenn du eine wirfst, teleportiert sie sich an die Stelle, wo sie gelandet ist. Super Neuigkeiten, wenn du wie ich bist und dich lieber teleportierst, als zu Fuß zu gehen ... oder vom Sofa aufzustehen. Leider haben Enderperlen auch Nachteile. Zum einen verursacht jede Teleportation fünf Herzen Fallschaden (autsch!), zum anderen besteht bei jedem Wurf eine Chance von 5 %, dass eine Endermilbe spawnt ... keine geringe Gefahr, wenn man bedenkt, dass dich allein die Landung 5 Herzen gekostet hat. Setze Enderperlen also immer mit Vorsicht ein.

LEBENSRAUM

Endermilben spawnen, wenn du eine Enderperle wirfst. Die erhältst du, wenn du Endermen besiegst oder mit Dorfbewohnern bzw. Piglins handelst. Enderperlen sind in allen Dimensionen einsetzbar, weshalb auch Endermilben überall spawnen können.

Oberwelt

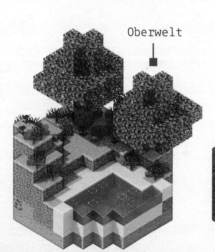

Nether

Ende

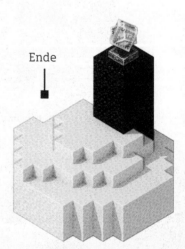

■ *Ein Enderman greift eine Endermilbe an. Aber warum? Können wir uns nicht einfach alle vertragen?*

Mob-Notizen

BEOBACHTUNGEN: Endermen und Endermilben heißen ähnlich, können sich abernicht ausstehen und greifen sich gegenseitig an.
SCHON GEWUSST? Jedes Mal, wenn du eine Enderperle wirfst, besteht die Chance, dass eine Endermilbe spawnt. Vorsicht – sie sind so klein, dass du sie womöglich übersiehst!

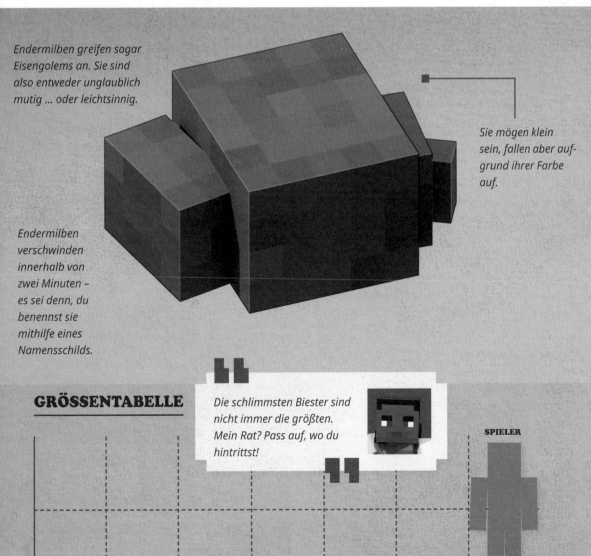

Endermilben greifen sogar Eisengolems an. Sie sind also entweder unglaublich mutig ... oder leichtsinnig.

Sie mögen klein sein, fallen aber aufgrund ihrer Farbe auf.

Endermilben verschwinden innerhalb von zwei Minuten – es sei denn, du benennst sie mithilfe eines Namensschilds.

GRÖSSENTABELLE

Die schlimmsten Biester sind nicht immer die größten. Mein Rat? Pass auf, wo du hintrittst!

SPIELER

SHULKER

Hat sich der Block gerade bewegt? Wohl kaum. Wahrscheinlicher ist, dass du einen Shulker gesehen hast, der einem Purpurblock verblüffend ähnlich sieht. Doch während Purpurblöcke zu Hause für angenehme Farbtupfer sorgen, ziehen es Shulker vor, dich auf eine unfreiwillige Flugreise zu schicken. Ihre Geschosse schaden dir nämlich nicht nur, sondern lösen den Schwebekraft-Effekt aus. Weiche ihnen aus und halte die Augen offen!

— ■ —

Die Tarnfähigkeit dieser Kreaturen ist faszinierend! Jetzt mal ehrlich ... Eine Kreatur, die sich derart anstrengt, um uns zu täuschen, ist doch hochinteressant, oder? Im Inneren der kistenartigen Hülle befindet sich ein kleiner Kopf, der ab und an zum Vorschein kommt, um ein neues Opfer zu erspähen (falls du ihm schaden willst, ist JETZT der richtige Moment!). Beim Studium dieser Mobs habe ich schon zahlreiche Geschosse abbekommen, denn Shulker feuern alle paar Sekunden. Ob es das wert war? Klar! Aber auch schmerzhaft. Doch das ist nun einmal das Los eines End-Forschers. Ich hoffe, meine Warnung erspart dir diese Erfahrung.

LEBENSRAUM

Um Shulker zu finden, musst du zuerst den Enderdrachen besiegen, woraufhin ein Portal ins erweiterte Ende erscheint. Dort gibt es Endsiedlungen – eigentümliche Bauten voller Schätze, die nur darauf warten, von mutigen Abenteuersuchenden geplündert zu werden – und massenweise Shulker.

Endsiedlung —— ■

■ *Einer dieser Blöcke ist nicht wie die anderen.*

Mob-Notizen

VERHALTEN: Genau wie Endermen können Shulker Wasser nicht leiden und teleportieren sich weg, sobald sie welches berühren.

DROPS: Besiegte Shulker droppen Shulker-hüllen, die zur Herstellung von Shulkerkisten benötigt werden – einem der nützlichsten Gegenstände in Minecraft!

Hat ein Shulker genug Scha-den erlitten, teleportiert er sich manchmal weg. Hey, das ist unfair! Komm zurück!

Lila gefällt dir nicht? Kein Problem, Shulkerkisten kön-nen eingefärbt werden!

GRÖSSENTABELLE

Ein Shulkergeschoss belegt dich für 10 Se-kunden mit dem Schwebe-kraft-Effekt. Moment, fliegen ist doch toll – wo ist das Problem? Ah, Fallschaden!

ENDERDRACHE

Ein gigantisches, unglaublich starkes fliegendes Monstrum – der Enderdrache ist die ultimative Herausforderung. Bist du einmal im Ende, kommst du lebend nicht wieder weg, es sei denn, du besiegst diesen drakonischen Gegner. Der Enderdrache ist so cool, dass er sogar seine eigene Musik hat. Ist dir klar, WIE furchteinflößend man sein muss, um seine eigene Musik zu bekommen? Ich sag's dir: EXTREM furchteinflößend!

■

> *Die meisten Leute bekommen den Enderdrachen ihr Leben lang nicht zu sehen. Tatsächlich erhielt ich nur Absagen, als ich meine Co-Schreibenden ins Ende einlud. Pah, wer braucht die schon? So habe ich den wundervollen Drachen ganz für mich allein! Zugegeben, seine Feuerbälle sind extrem schmerzhaft, aber sieh nur, wie viel ich von den hübschen lilafarbenen Wolken lernen kann, die sie erzeugen ... Zum Beispiel, dass sie Schaden bewirken. (Au!) Faszinierend! Die Atemwolke kannst du übrigens in Flaschen abfüllen ... wobei ich mich jetzt lieber auf den Kampf konzentrieren sollte. Wünsch mir Glück und danke, dass du mich ins Ende begleitet hast!*

LEBENSRAUM

Der Enderdrache spawnt wenige Sekunden nach deiner ersten Ankunft im Ende. So anstrengend es auch ist, alles zu sammeln, was du brauchst, um die Dimension zu erreichen, ist es doch beruhigend zu wissen, dass es den Drachen nur hier gibt, und nicht auch in der Oberwelt!

Ende

■ *Wir haben uns dem Drachen 34-mal gestellt, ehe wir*
dieses Foto im Kasten hatten. Gern geschehen!

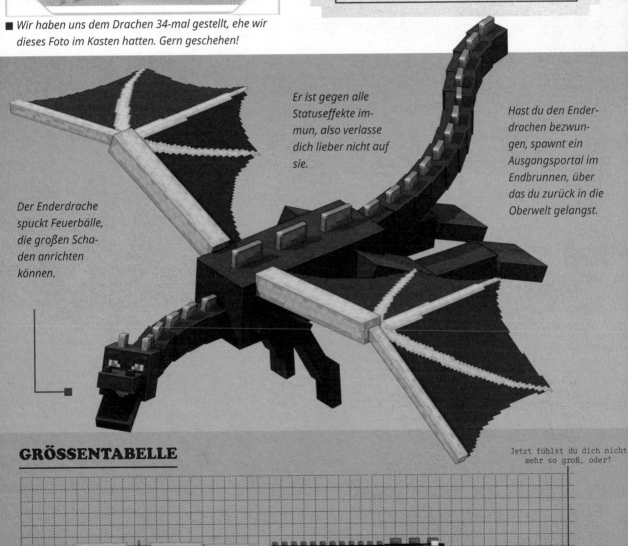

Er ist gegen alle
Statuseffekte im-
mun, also verlasse
dich lieber nicht auf
sie.

Hast du den Ender-
drachen bezwun-
gen, spawnt ein
Ausgangsportal im
Endbrunnen, über
das du zurück in die
Oberwelt gelangst.

Der Enderdrache
spuckt Feuerbälle,
die großen Scha-
den anrichten
können.

GRÖSSENTABELLE

Jetzt fühlst du dich nicht
mehr so groß, oder?

SPIELER

BIS BALD!

Wow, wow, was für ein Ritt! Unsere Minecraft-Talente wissen wirklich einen Creeper von einer schreienden Ziege zu unterscheiden! Unsere gemeinsame Reise mag hier zu Ende sein, aber wir haben das Gefühl, deine fängt gerade erst an.

Welche Mobs willst du zuerst suchen? Ob du nun über die Ebene ziehst, tiefe Höhlen erkundest, dich (vorsichtig) durch den Nether tastest oder dich ins Ende wagst – die Entscheidung liegt allein bei dir. DEIN Abenteuer ist, was DU daraus machst.

Und wenn du einmal nicht mehr weiterweißt, wirf einfach einen Blick ins Buch. Wir alle glauben an dich und spüren, dass du das Zeug zur Minecraft-Legende hast!

– MOJANG STUDIOS

INDEX

INDEX

INDEX